DOM JUAN
OU
LE FESTIN DE PIERRE

Comédie

PERSONNAGES

DOM JUAN, fils de Dom Louis.
SGANARELLE, valet de Dom Juan.
ELVIRE, femme de Dom Juan.
GUSMAN, écuyer d'Elvire.
DOM CARLOS, DOM ALONSE, frères d'Elvire.
DOM LOUIS, père de Dom Juan.
FRANCISQUE.
CHARLOTTE, MATHURINE, paysannes.
PIERROT, paysan.
LA STATUE du Commandeur.
LA VIOLETTE, RAGOTIN, laquais de Dom Juan.
M. DIMANCHE, marchand.
LA RAMÉE, spadassin.
SUITE de Dom Juan.
SUITE de Dom Carlos et de Dom Alonse, frères.
UN SPECTRE.

La scène est en Sicile.

ACTE I[1], SCÈNE PREMIÈRE

SGANARELLE, GUSMAN.

SGANARELLE, *tenant une tabatière.*— Quoi que puisse dire Aristote, et toute la philosophie, il n'est rien d'égal au tabac, c'est la passion des honnêtes gens; et qui vit sans tabac, n'est pas digne de vivre; non seulement il réjouit, et purge les cerveaux humains, mais encore il instruit les âmes à la vertu, et l'on apprend avec lui à devenir honnête homme. Ne voyez-vous pas bien dès qu'on en prend, de quelle manière obligeante on en use avec tout le monde, et comme on est ravi d'en donner, à droit, et à gauche, partout où l'on se trouve? On n'attend pas même qu'on en

---

[1]   D'après le marché du 3 décembre 1664 (voir la notice de la pièce), le décor du Ier acte est un palais ouvert aux promeneurs, au travers duquel on voit un jardin.

demande, et l'on court au-devant du souhait des gens: tant il est vrai, que le tabac inspire des sentiments d'honneur, et de vertu, à tous ceux qui en prennent. Mais c'est assez de cette matière, reprenons un peu notre discours. Si bien donc, cher Gusman, que Done Elvire ta maîtresse, surprise de notre départ, s'est mise en campagne après nous; et son cœur, que mon maître a su toucher trop fortement, n'a pu vivre, dis-tu, sans le venir chercher ici? Veux-tu qu'entre nous je te dise ma pensée; J'ai peur qu'elle ne soit mal payée de son amour, que son voyage en cette ville produise peu de fruit, et que vous eussiez autant gagné à ne bouger de là.

GUSMAN.— Et la raison encore, dis-moi, je te prie, Sganarelle, qui[2] peut t'inspirer une peur d'un si mauvais augure? Ton maître t'a-t-il ouvert son cœur là-dessus, et t'a-t-il dit qu'il eût pour nous quelque froideur qui l'ait obligé à partir?

SGANARELLE.— Non pas, mais, à vue de pays[3], je connais à peu près le train des choses, et sans qu'il m'ait encore rien dit, je gagerais presque que l'affaire va là. Je pourrais peut-être me tromper, mais enfin, sur de tels sujets, l'expérience m'a pu donner quelques lumières.

GUSMAN.— Quoi, ce départ si peu prévu, serait une infidélité de Dom Juan? Il pourrait faire cette injure aux chastes feux de Done Elvire?

SGANARELLE.— Non, c'est qu'il est jeune encore, et qu'il n'a pas le courage.

GUSMAN.— Un homme de sa qualité[4] ferait une action si lâche?

SGANARELLE.— Eh oui; sa qualité! La raison en est belle, et c'est par là qu'il s'empêcherait des choses[5].

GUSMAN.— Mais les saints nœuds du mariage le tiennent engagé.

SGANARELLE.— Eh! mon pauvre Gusman, mon ami, tu ne sais pas encore, crois-moi, quel homme est Dom Juan.

---

2   *Qui*: ce qui.
3   *À vue de pays*: «en se réglant sur ce qu'on sait, sur ce qu'on imagine» (Littré).
4   *Qualité*: le mot est synonyme de très haute noblesse.
5   *Il s'empêcherait*: il s'abstiendrait.

GUSMAN.— Je ne sais pas de vrai quel homme il peut être, s'il faut qu'il nous ait fait cette perfidie; et je ne comprends point, comme après tant d'amour, et tant d'impatience témoignée, tant d'hommages pressants, de vœux, de soupirs, et de larmes, tant de lettres passionnées, de protestations ardentes, et de serments réitérés; tant de transports enfin, et tant d'emportements qu'il a fait paraître, jusqu'à forcer dans sa passion l'obstacle sacré d'un couvent, pour mettre Done Elvire en sa puissance; je ne comprends pas, dis-je, comme après tout cela il aurait le cœur de pouvoir manquer à sa parole.

SGANARELLE.— Je n'ai pas grande peine à le comprendre moi, et si tu connaissais le pèlerin[6], tu trouverais la chose assez facile pour lui. Je ne dis pas qu'il ait changé de sentiments pour Done Elvire, je n'en ai point de certitude encore; tu sais que par son ordre je partis avant lui, et depuis son arrivée il ne m'a point entretenu, mais par précaution, je t'apprends *(inter nos,)* que tu vois en Dom Juan, mon maître, le plus grand scélérat que la terre ait jamais porté, un enragé, un chien, un diable, un Turc, un hérétique, qui ne croit ni Ciel, ni Enfer, ni loup-garou, qui passe cette vie en véritable bête brute, en pourceau d'Epicure[7], en vrai Sardanapale, qui ferme l'oreille à toutes les remontrances qu'on lui peut faire, et traite de billevesées tout ce que nous croyons[8]. Tu me dis qu'il a épousé ta maîtresse, crois qu'il aurait plus fait pour sa passion[9], et qu'avec elle il aurait encore épousé toi, son chien, et son chat. Un mariage ne lui coûte rien à contracter, il ne se sert point d'autres pièges[10] pour attraper les belles, et c'est un épouseur à toutes mains[11], dame, demoiselle, bourgeoise, paysanne, il ne trouve rien de trop chaud, ni de trop froid pour lui; et si je te disais le nom de toutes celles qu'il a épousées en divers lieux, ce serait un chapitre à durer jusques au soir. Tu demeures surpris, et changes de couleur à ce discours; ce n'est là qu'une ébauche du personnage, et pour en achever le portrait, il faudrait bien d'autres coups de

---

6   *Le pèlerin*: «on appelle figurément *pèlerin* un homme fin, adroit, dissimulé» (Dictionnaire de l'Académie, 1694).

7   Sganarelle a des prétentions à la culture: tout à l'heure il mentionnait Aristote; maintenant il cite les adversaires des libertins, ou peut-être Horace qui se traite de «pourceau du troupeau d'Épicure» (*Épitres*, I, 4, fin).

8   VAR. Un enragé, un chien, un démon, un Turc, un hérétique, qui ne croit ni Ciel, ni Enfer, ni Diable, qui passe cette vie en véritable bête brute, un pourceau d'Épicure, un vrai Sardanapale, qui ferme l'oreille à toutes les remontrances qu'on lui peut faire, et traite de belles visées tout ce que nous croyons. (1683).

9   VAR. Crois qu'il aurait plus fait pour contenter sa passion. (1683).

10   VAR. Il ne se sert point d'autre piège. (1683).

11   *Un épouseur à toutes mains*: un épouseur de toutes les manières.

pinceau, suffit qu'il faut que le courroux du Ciel l'accable quelque jour: qu'il me vaudrait[12] bien mieux d'être au diable, que d'être à lui, et qu'il me fait voir tant d'horreurs, que je souhaiterais qu'il fût déjà je ne sais où; mais un grand seigneur méchant homme est une terrible chose; il faut que je lui sois fidèle[13] en dépit que j'en aie, la crainte en moi fait l'office du zèle, bride mes sentiments, et me réduit d'applaudir bien souvent[14] à ce que mon âme déteste. Le voilà qui vient se promener dans ce palais, séparons-nous; écoute, au moins, je t'ai fait cette confidence avec franchise[15], et cela m'est sorti un peu bien vite de la bouche; mais s'il fallait qu'il en vînt quelque chose à ses oreilles, je dirais hautement que tu aurais menti.

SCÈNE II

DOM JUAN, SGANARELLE.

DOM JUAN.— Quel homme te parlait là, Il a bien de l'air ce me semble du bon Gusman de Done Elvire?

SGANARELLE.— C'est quelque chose aussi à peu près de cela.

DOM JUAN.— Quoi, c'est lui?

SGANARELLE.— Lui-même.

DOM JUAN.— Et depuis quand est-il en cette ville?

SGANARELLE.— D'hier au soir.

DOM JUAN.— Et quel sujet l'amène?

---

12   VAR. faudrait (1682), nous corrigeons.
13   VAR. Que je souhaiterais qu'il fût déjà je ne sais où. C'est une chose terrible; il faut que je lui sois fidèle. (1683).
14   VAR. Et me réduit à la complaisance d'applaudir bien souvent. (1683).
15   VAR. Écoute au moins: je te fais confidence avec grande franchise. (1683).

SGANARELLE.— Je crois que vous jugez assez ce qui le peut inquiéter.

DOM JUAN.— Notre départ, sans doute?

SGANARELLE.— Le bonhomme en est tout mortifié, et m'en demandait le sujet.

DOM JUAN.— Et quelle réponse as-tu faite?

SGANARELLE.— Que vous ne m'en aviez rien dit.

DOM JUAN.— Mais encore, quelle est ta pensée là-dessus, que t'imagines-tu de cette affaire?

SGANARELLE.— Moi, je crois sans vous faire tort, que vous avez quelque nouvel amour en tête.

DOM JUAN.— Tu le crois?

SGANARELLE.— Oui.

DOM JUAN.— Ma foi, tu ne te trompes pas, et je dois t'avouer qu'un autre objet[16] a chassé Elvire de ma pensée.

SGANARELLE.— Eh, mon Dieu, je sais mon Dom Juan, sur le bout du doigt, et connais votre cœur pour le plus grand coureur du monde, il se plaît à se promener de liens en liens, et n'aime guère à demeurer en place[17].

DOM JUAN.— Et ne trouves-tu pas, dis-moi, que j'ai raison d'en user de la sorte?

SGANARELLE.— Eh, Monsieur.

DOM JUAN.— Quoi, parle?

---

16   *Objet*: se dit pour parler d'un homme ou d'une femme, sans nuance péjorative.
17   VAR. À se promener de lieux en lieux, et n'aime guère à demeurer en place. (1683).

SGANARELLE.— Assurément que vous avez raison, si vous le voulez, on ne peut pas aller là contre; mais si vous ne le vouliez pas, ce serait peut-être une autre affaire.

DOM JUAN.— Eh bien, je te donne la liberté de parler, et de me dire tes sentiments.

SGANARELLE.— En ce cas, Monsieur, je vous dirai franchement que je n'approuve point votre méthode, et que je trouve fort vilain d'aimer de tous côtés comme vous faites.

DOM JUAN.— Quoi? tu veux qu'on se lie à demeurer au premier objet[18] qui nous prend, qu'on renonce au monde pour lui, et qu'on n'ait plus d'yeux pour personne? La belle chose de vouloir se piquer d'un faux honneur d'être fidèle, de s'ensevelir pour toujours dans une passion, et d'être mort dès sa jeunesse, à toutes les autres beautés qui nous peuvent frapper les yeux: non, non, la constance n'est bonne que pour des ridicules, toutes les belles ont droit de nous charmer, et l'avantage d'être rencontrée la première, ne doit point dérober aux autres les justes prétentions qu'elles ont toutes sur nos cœurs. Pour moi, la beauté me ravit partout, où je la trouve; et je cède facilement à cette douce violence, dont elle nous entraîne; j'ai beau être engagé, l'amour que j'ai pour une belle, n'engage point mon âme à faire injustice aux autres; je conserve des yeux pour voir le mérite de toutes, et rends à chacune les hommages, et les tributs où la nature nous oblige. Quoi qu'il en soit, je ne puis refuser mon cœur à tout ce que je vois d'aimable, et dès qu'un beau visage me le demande, si j'en avais dix mille, je les donnerais tous. Les inclinations naissantes après tout, ont des charmes inexplicables, et tout le plaisir de l'amour est dans le changement. On goûte une douceur extrême à réduire par cent hommages le cœur d'une jeune beauté, à voir de jour en jour les petits progrès qu'on y fait; à combattre par des transports, par des larmes, et des soupirs, l'innocente pudeur d'une âme, qui a peine à rendre les armes, à forcer pied à pied toutes les petites résistances qu'elle nous oppose, à vaincre les scrupules, dont elle se fait un honneur, et la mener doucement, où nous avons envie de la faire venir. Mais lorsqu'on en est maître une fois, il n'y a plus rien à dire, ni rien à souhaiter, tout le beau de la passion est fini, et nous nous endormons dans la tranquillité d'un tel amour; si quelque objet nouveau ne vient réveiller nos désirs, et présenter à notre cœur les charmes attrayants d'une conquête à faire. Enfin, il n'est rien de si doux, que de triompher de la résistance d'une belle personne; et j'ai sur ce sujet l'ambition des conquérants, qui volent perpétuellement de victoire en victoire, et ne peuvent se résoudre à borner leurs souhaits. Il n'est rien qui puisse arrêter l'impétuosité de mes désirs, je me sens un cœur à aimer toute la

---

18   *Objet*: se dit pour parler d'un homme ou d'une femme, sans nuance péjorative.

terre; et comme Alexandre, je souhaiterais qu'il y eût d'autres mondes, pour y pouvoir étendre mes conquêtes amoureuses.

SGANARELLE.— Vertu de ma vie, comme vous débitez; il semble que vous ayez appris cela par cœur, et vous parlez tout comme un livre.

DOM JUAN.— Qu'as-tu à dire là-dessus?

SGANARELLE.— Ma foi, j'ai à dire, je ne sais que dire; car vous tournez les choses d'une manière, qu'il semble que vous avez raison[19], et cependant il est vrai que vous ne l'avez pas. J'avais les plus belles pensées du monde, et vos discours m'ont brouillé tout cela; laissez faire, une autre fois je mettrai mes raisonnements par écrit, pour disputer avec vous.

DOM JUAN.— Tu feras bien.

SGANARELLE.— Mais, Monsieur, cela serait-il de la permission que vous m'avez donnée, si je vous disais que je suis tant soit peu scandalisé de la vie que vous menez?

DOM JUAN.— Comment, quelle vie est-ce que je mène?

SGANARELLE.— Fort bonne. Mais par exemple de vous voir[20] tous les mois vous marier comme vous faites.

DOM JUAN.— Y a-t-il rien de plus agréable?

SGANARELLE.— Il est vrai, je conçois que cela est fort agréable, et fort divertissant, et je m'en accommoderais assez, moi, s'il n'y avait point de mal, mais, Monsieur, se jouer ainsi d'un mystère sacré, et[21]...

DOM JUAN.— Va, va, c'est une affaire entre le Ciel et moi, et nous la démêlerons bien

---

19   VAR. Que vous ayez raison. (1683).
20   VAR. Mais, par exemple, je vous vois. (1683).
21   VAR. du mariage qui...(1682 cartonnée)

ensemble, sans que tu t'en mettes en peine[22].

SGANARELLE.— Ma foi, Monsieur, j'ai toujours ouï dire, que c'est une méchante raillerie, que de se railler du Ciel, et que les libertins[23] ne font jamais une bonne fin.

DOM JUAN.— Holà, maître sot[24], vous savez que je vous ai dit que je n'aime pas les faiseurs de remontrances.

SGANARELLE.— Je ne parle pas aussi à vous, Dieu m'en garde, vous savez ce que vous faites vous, et si vous ne croyez rien, vous avez vos raisons[25]; mais il y a de certains petits impertinents dans le monde, qui sont libertins, sans savoir pourquoi[26], qui font les esprits forts, parce qu'ils croient que cela leur sied bien; et si j'avais un maître comme cela, je lui dirais fort nettement[27] le regardant en face: «Osez-vous bien ainsi vous jouer au Ciel[28], et ne tremblez-vous point de vous moquer comme vous faites des choses les plus saintes? C'est bien à vous, petit ver de terre[29], petit mirmidon[30] que vous êtes (je parle au maître que j'ai dit), c'est bien à vous à vouloir vous mêler de tourner en raillerie, ce que tous les hommes révèrent. Pensez-vous que pour être de qualité, pour avoir une perruque blonde, et bien frisée, des plumes à votre chapeau, un habit bien doré, et des rubans couleur de feu, (ce n'est pas à vous que je parle, c'est à l'autre;) pensez-vous, dis-je, que vous en soyez plus habile homme, que tout vous soit permis, et qu'on n'ose vous dire vos vérités? Apprenez de moi, qui suis votre valet, que le Ciel

---

22   VAR. c'est une affaire que je saurais bien démêler, sans que tu t'en mettes en peine (1682 cartonnée).

23   *Les libertins**: les esprits forts, les libres-penseurs.

24   VAR. Mais, Monsieur, se jouer ainsi du mariage qui... DOM JUAN.— Va, va, c'est une affaire que je saurai bien démêler, sans que tu t'en mettes en peine. SGANARELLE.— Ma foi! Monsieur, vous faites une méchante raillerie. DOM JUAN.— Holà! maître sot. (1682 cartonnée).

25   VAR. Vous savez ce que vous faites, vous; et si vous êtes libertin, vous avez vos raisons. (1682 cartonnée).

26   VAR. Qui le sont, sans savoir pourquoi. (1682 cartonnée).

27   VAR. je lui dirais nettement (1682).

28   VAR. Osez-vous bien ainsi vous jouer du Ciel. (1683).

29   VAR. Et si j'avais un maître comme cela, je lui dirais nettement, le regardant en face: «C'est bien à vous, petit ver de terre.» (1682 cartonnée).

30   Les *Myrmidons* étaient issus de la métamorphose de fourmis opérée par Jupiter à la requête de son fils Éaque, donc des hommes très petits, sans force ni résistance.

punit tôt, ou tard les impies, qu'une méchante vie amène une méchante mort, et que[31]...»

DOM JUAN.— Paix.

SGANARELLE.— De quoi est-il question?

DOM JUAN.— Il est question de te dire, qu'une beauté me tient au cœur, et qu'entraîné par ses appas, je l'ai suivie jusques en cette ville.

SGANARELLE.— Et n'y craignez-vous rien, Monsieur, de la mort de ce commandeur[32] que vous tuâtes il y a six mois?

DOM JUAN.— Et pourquoi craindre, ne l'ai-je pas bien tué[33]?

SGANARELLE.— Fort bien, le mieux du monde, et il aurait tort de se plaindre.

DOM JUAN.— J'ai eu ma grâce de cette affaire.

SGANARELLE.— Oui, mais cette grâce n'éteint pas peut-être le ressentiment des parents et des amis, et...

DOM JUAN.— Ah! n'allons point songer au mal qui nous peut arriver, et songeons seulement à ce qui nous peut donner du plaisir. La personne dont je te parle, est une jeune fiancée, la plus agréable du monde, qui a été conduite ici par celui même qu'elle y vient épouser; et le hasard me fit voir ce couple d'amants, trois ou quatre jours, avant leur voyage. Jamais je n'ai vu deux personnes être si contents l'un de l'autre, et faire éclater plus d'amour. La tendresse visible de leurs mutuelles ardeurs me donna de l'émotion; j'en fus frappé au cœur, et mon amour commença par la jalousie. Oui, je ne pus souffrir d'abord de les voir si bien ensemble, le dépit alarma mes désirs[34], et je me figurai un plaisir extrême, à pouvoir troubler leur intelligence, et

---

31   VAR. Apprenez de moi, qui suis votre valet, que les libertins ne font jamais une bonne fin, et que... (1682 cartonnée).

32   *Commandeur*: chevalier pourvu d'une commanderie dans un ordre militaire: d'Alcantara ou de Calatrava en Espagne, de Malte ou de Saint-Lazare en France.

33   *Ne l'ai-je pas bien tué*: ne l'ai-je pas tué en me conformant aux règles du duel?

34   VAR. Le dépit alluma mes désirs. (1683).

rompre cet attachement, dont la délicatesse de mon cœur se tenait offensée; mais jusques ici tous mes efforts ont été inutiles, et j'ai recours au dernier remède. Cet époux prétendu[35] doit aujourd'hui régaler sa maîtresse d'une promenade sur mer; sans t'en avoir rien dit, toutes choses sont préparées pour satisfaire mon amour, et j'ai une petite barque, et des gens, avec quoi fort facilement je prétends enlever la belle.

SGANARELLE.— Ha! Monsieur.

DOM JUAN.— Hein?

SGANARELLE.— C'est fort bien fait à vous, et vous le prenez comme il faut, il n'est rien tel en ce monde, que de se contenter.

DOM JUAN.— Prépare-toi donc à venir avec moi, et prends soin toi-même d'apporter toutes mes armes, afin que[36]... Ah! rencontre fâcheuse, traître tu ne m'avais pas dit qu'elle était ici elle-même.

SGANARELLE.— Monsieur, vous ne me l'avez pas demandé[37].

DOM JUAN.— Est-elle folle, de n'avoir pas changé d'habit, et de venir en ce lieu-ci, avec son équipage[38] de campagne?

SCÈNE III

DONE ELVIRE, DOM JUAN, SGANARELLE.

DONE ELVIRE.— Me ferez-vous la grâce, Dom Juan, de vouloir bien me reconnaître, et puis-je au moins espérer que vous daigniez tourner le visage de ce côté?

---

35   *Époux prétendu*: époux futur.
36   VAR. Afin que... *(Il aperçoit Done Elvire.)* Ah! (1682 cartonnée).
37   VAR. Monsieur, vous ne me l'aviez pas demandé. (1683).
38   *Son équipage*: sa tenue.

DOM JUAN.— Madame, je vous avoue que je suis surpris, et que je ne vous attendais pas ici.

DONE ELVIRE.— Oui, je vois bien que vous ne m'y attendiez pas, et vous êtes surpris à la vérité, mais tout autrement que je ne l'espérais, et la manière dont vous le paraissez, me persuade pleinement ce que je refusais de croire. J'admire[39] ma simplicité, et la faiblesse de mon cœur, à douter d'une trahison, que tant d'apparences me confirmaient. J'ai été assez bonne, je le confesse, ou plutôt assez sotte, pour me vouloir tromper moi-même, et travailler à démentir mes yeux, et mon jugement. J'ai cherché des raisons, pour excuser à ma tendresse[40], le relâchement d'amitié qu'elle voyait en vous; et je me suis forgé exprès cent sujets légitimes d'un départ si précipité, pour vous justifier du crime, dont ma raison vous accusait. Mes justes soupçons chaque jour avaient beau me parler, j'en rejetais la voix, qui vous rendait criminel à mes yeux, et j'écoutais avec plaisir mille chimères ridicules, qui vous peignaient innocent à mon cœur; mais enfin, cet abord ne me permet plus de douter, et le coup d'œil qui m'a reçue, m'apprend bien plus de choses, que je ne voudrais en savoir. Je serai bien aise pourtant d'ouïr de votre bouche les raisons de votre départ. Parlez, Dom Juan, je vous prie; et voyons de quel air vous saurez vous justifier[41].

DOM JUAN.— Madame, voilà Sganarelle, qui sait pourquoi je suis parti.

SGANARELLE.— Moi, Monsieur, je n'en sais rien, s'il vous plaît.

DONE ELVIRE.— Hé bien, Sganarelle, parlez, il n'importe de quelle bouche j'entende ces raisons.

DOM JUAN, *faisant signe d'approcher à Sganarelle.*— Allons, parle donc à Madame.

SGANARELLE.— Que voulez-vous que je dise?

DONE ELVIRE.— Approchez, puisqu'on le veut ainsi, et me dites un peu les causes d'un départ si prompt.

---

39   *J'admire*: je m'étonne.

40   *À ma tendresse*: auprès de ma tendresse. Le mot est ici un substitut de style pour amour, passion, de même que le mot *amitié*, mais à un moindre degré, employé aussitôt après.

41   VAR. Et voyons de quel air vous savez vous justifier. (1683).

DOM JUAN.— Tu ne répondras pas?

SGANARELLE.— Je n'ai rien à répondre, vous vous moquez de votre serviteur.

DOM JUAN.— Veux-tu répondre, te dis-je?

SGANARELLE.— Madame…

DONE ELVIRE.— Quoi?

SGANARELLE, *se retournant vers son maître.*— Monsieur…

DOM JUAN[42].— Si…

SGANARELLE.— Madame, les conquérants, Alexandre, et les autres mondes sont causes de notre départ; voilà, Monsieur, tout ce que je puis dire.

DONE ELVIRE.— Vous plaît-il, Dom Juan, nous éclaircir ces beaux mystères?

DOM JUAN.— Madame, à vous dire la vérité…

DONE ELVIRE.— Ah, que vous savez mal vous défendre pour un homme de cour, et qui doit être accoutumé à ces sortes de choses! J'ai pitié de vous voir la confusion que vous avez. Que ne vous armez-vous le front d'une noble effronterie? Que ne me jurez-vous que vous êtes toujours dans les mêmes sentiments pour moi, que vous m'aimez toujours avec une ardeur sans égale, et que rien n'est capable de vous détacher de moi que la mort! que ne me dites-vous que des affaires de la dernière conséquence vous ont obligé à partir sans m'en donner avis, qu'il faut que malgré vous vous demeuriez ici quelque temps, et que je n'ai qu'à m'en retourner d'où je viens, assurée que vous suivrez mes pas le plus tôt qu'il vous sera possible: qu'il est certain que vous brûlez de me rejoindre, et qu'éloigné de moi, vous souffrez ce que souffre un corps qui est séparé de son âme. Voilà comme il faut vous défendre, et non pas être interdit comme vous êtes.

---

42   VAR. DOM JUAN, *en le menaçant.* (1682 cartonnée).

DOM JUAN.— Je vous avoue, Madame, que je n'ai point le talent de dissimuler, et que je porte un cœur sincère. Je ne vous dirai point que je suis toujours dans les mêmes sentiments pour vous, et que je brûle de vous rejoindre, puisque enfin il est assuré que je ne suis parti que pour vous fuir; non point par les raisons que vous pouvez vous figurer, mais par un pur motif de conscience, et pour ne croire pas[43] qu'avec vous davantage je puisse vivre sans péché. Il m'est venu des scrupules, Madame, et j'ai ouvert les yeux de l'âme sur ce que je faisais. J'ai fait réflexion que pour vous épouser, je vous ai dérobée à la clôture d'un couvent, que vous avez rompu des vœux, qui vous engageaient autre part[44], et que le Ciel est fort jaloux de ces sortes de choses. Le repentir m'a pris, et j'ai craint le courroux céleste. J'ai cru que notre mariage n'était qu'un adultère déguisé, qu'il nous attirerait quelque disgrâce d'en haut, et qu'enfin je devais tâcher de vous oublier, et vous donner moyen de retourner à vos premières chaînes. Voudriez-vous, Madame, vous opposer à une si sainte pensée, et que j'allasse, en vous retenant me mettre le Ciel sur les bras, que par...?

DONE ELVIRE.— Ah! scélérat, c'est maintenant que je te connais tout entier, et pour mon malheur, je te connais lorsqu'il n'en est plus temps, et qu'une telle connaissance ne peut plus me servir qu'à me désespérer; mais sache que ton crime ne demeurera pas impuni; et que le même Ciel dont tu te joues, me saura venger de ta perfidie.

DOM JUAN.— Sganarelle, le Ciel!

SGANARELLE.— Vraiment oui, nous nous moquons bien de cela, nous autres[45].

DOM JUAN.— Madame...

DONE ELVIRE.— Il suffit, je n'en veux pas ouïr davantage, et je m'accuse même d'en avoir trop entendu. C'est une lâcheté que de se faire expliquer trop sa honte; et sur de tels sujets, un noble

---

43   *et pour ne croire pas*: et parce que je ne crois pas.

44   Pour que Dom Juan ait pu épouser Done Elvire, il fallait qu'elle n'eût pas encore prononcé de vœux définitifs; autrement, elle ne se considérerait pas comme sa légitime épouse et ses frères ne demanderaient pas à Dom Juan de confirmer publiquement qu'il l'a prise pour femme (voir V, 3, début). Dom Juan prend donc un mauvais prétexte pour éconduire Done Elvire.

45   VAR. Cette réplique et la précédente sont omises dans 1682 cartonnée.

cœur au premier mot doit prendre son parti. N'attends pas que j'éclate ici en reproches et en injures, non, non, je n'ai point un courroux à exhaler en paroles vaines, et toute sa chaleur se réserve pour sa vengeance[46]. Je te le dis encore, le Ciel te punira, perfide, de l'outrage que tu me fais, et si le Ciel n'a rien que tu puisses appréhender, appréhende du moins la colère d'une femme offensée.

SGANARELLE.— Si le remords le pouvait prendre.

DOM JUAN, *après une petite réflexion*.— Allons songer à l'éxécution de notre entreprise amoureuse.

SGANARELLE.— Ah, quel abominable maître me vois-je obligé de servir!

ACTE II[47], SCÈNE PREMIERE

CHARLOTTE, PIERROT.

CHARLOTTE.— Notre-dinse, Piarrot, tu t'es trouvé là bien à point.

PIERROT.— Parquienne, il ne s'en est pas fallu l'épaisseur d'une éplinque qu'ils ne se sayant nayés tous deux.

CHARLOTTE.— C'est donc le coup de vent da matin qui les avait renvarsés dans la mar.

PIERROT.— Aga guien, Charlotte, je m'en vas te conter tout fin drait comme cela est venu[48]: car, comme dit l'autre, je les ai le premier avisés, avisés le premier je les ai. Enfin donc, j'estions

---

46   VAR. Pour ma vengeance. (1683).

47   D'après le marché du 3 décembre 1664, le décor du IIe acte est un hameau de verdure avec une grotte au travers de laquelle on voit la mer.

48   *Nostre-dinse* (Notre Dame), *Parquienne* (Parbleu), *Palsanquienne* (Palsambleu), *Morquenne* (Morbleu), *Aga quien* (Regarde, Tiens), *Ardez* (Regardez), *Mon Quien* (Mon Dieu): autant de mots empruntés au patois des environs de Paris, que l'on retrouve dans *Le Pédant joué* de Cyrano (rôle du paysan Gareau), ou dans *Les Agréables Conférences de deux paysans de Saint-Grien et de Montmorency sur les affaires du temps (1649-1651)*, éditées par F. Deloffre, Paris, 1951, avec une étude sur le jargon paysan.

sur le bord de la mar, moi et le gros Lucas, et je nous amusions à batifoler avec des mottes de tarre que je nous jesquions à la teste: car comme tu sais bian, le gros Lucas aime à batifoler, et moi par fouas je batifole itou. En batifolant donc, pisque batifoler y a, j'ai aparçu de tout loin queuque chose qui grouillait dans gliau, et qui venait comme envars nous par secousse. Je voyais cela fixiblement, et pis tout d'un coup je voyais que je ne voyais plus rien. «Eh! Lucas, ç'ai-je fait, je pense que vlà des hommes qui nageant là-bas. — Voire, ce m'a-t-il fait, t'as esté au trépassement d'un chat, t'as la vue trouble. Palsanquienne, ç'ai-je fait, je n'ai point la vue trouble, ce sont des hommes. Point du tout, ce m'a-t-il fait, t'as la barlue. Veux-tu gager, ç'ai-je fait, que je n'ai point la barlue, ç'ai-je fait, et que sont deux hommes, ç'ai-je fait, qui nageant droit ici? ç'ai-je fait. Morquenne, ce m'a-t-il fait, je gage que non, oh çà, ç'ai-je fait, veux-tu gager dix sols que si? Je le veux bian, ce m'a-t-il fait, et pour te montrer, vlà argent su jeu», ce m'a-t-il fait. Moi, je n'ai point esté ni fou, ni estourdi, j'ai bravement bouté à tarre quatre pièces tapées, et cinq sols en doubles[49], jergniguenne, aussi hardiment que si j'avais avalé un varre de vin; car je ses hazardeux moi, et je vas à la débandade[50]. Je savais bian ce que je faisais pourtant, queuque gniais! Enfin donc, je n'avons pas putost eu gagé que j'avons vu les deux hommes tout à plain qui nous faisiant signe de les aller quérir, et moi de tirer auparavant les enjeux. «Allons, Lucas, ç'ai-je dit, tu vois bian qu'ils nous appelont: allons viste à leu secours. Non, ce m'a-t-il dit, ils m'ont fait pardre.» Oh donc tanquia, qu'à la parfin pour le faire court, je l'ai tant sarmonné, que je nous sommes boutés dans une barque, et pis j'avons tant fait cahin, caha, que je les avons tirés de gliau, et pis je les avons menés cheux nous auprès du feu, et pis ils se sant dépouillés tous nus pour se sécher, et pis il y en est venu encore deux de la mesme bande qui s'equiant sauvés tout seul, et pis Mathurine est arrivée là à qui l'en a fait les doux yeux, vlà justement, Charlotte, comme tout ça s'est fait.

CHARLOTTE.— Ne m'as-tu pas dit, Piarrot, qu'il y en a un qu'est bien pu mieux fait que les autres.

PIERROT.— Oui, c'est le maître; il faut que ce soit queuque gros gros Monsieur, car il a du dor à son habit tout depis le haut jusqu'en bas, et ceux qui le servont sont des Monsieu eux-mesmes,

---

49   *Quatre pièces tapées*: «des sols marqués d'une fleur de lys au milieu, ce qui augmentait leur valeur» (Dictionnaire de Furetière, 1690); le *double* valait deux deniers, c'est-à-dire 1/6 de sol.

50   *À la débandade*: «à la manière des soldats qui se débandent, qui vivent en libertinage et sans discipline» (Dictionnaire de Furetière, 1690).

et stapandant, tout gros Monsieur qu'il est, il serait par ma fique[51] nayé si je n'aviomme esté là.

CHARLOTTE.— Ardez un peu.

PIERROT.— Oh, parquenne, sans nous, il en avait pour sa maine de fèves[52].

CHARLOTTE.— Est-il encore cheux toi tout nu, Piarrot?

PIERROT.— Nannain, ils l'avont rhabillé tout devant nous. Mon quieu, je n'en avais jamais vu s'habiller, que d'histoires et d'angigorniaux[53] boutont ces messieus-là les courtisans, je me pardrais là dedans pour moi, et j'estais tout ébobi de voir ça. Quien, Charlotte, ils avont des cheveux qui ne tenont point à leu teste, et ils boutont ça après tout comme un gros bonnet de filace. Ils ant des chemises qui ant des manches où j'entrerions tout brandis[54] toi et moi. En glieu d'haut-de-chausse, ils portont un garde-robe[55] aussi large que d'ici à Pasque, en glieu de pourpoint, de petites brassières, qui ne leu venont pas usqu'au brichet[56], et en glieu de rabats un grand mouchoir de cou à reziau[57] aveuc quatre grosses houppes de linge qui leu pendont sur l'estomaque. Ils avont itou d'autres petits rabats au bout des bras, et de grands entonnois de passement[58] aux jambes, et parmi tout ça tant de rubans tant de rubans, que c'est une vraie piquié. Ignia pas jusqu'aux souliers qui n'en soiont farcis tout depis un bout jusqu'à l'autre, et ils sont faits d'eune façon que je me romprais le cou aveuc[59].

---

51 *Par ma fique:* par ma foi.
52 *Il en avait pour sa maine de fèves:* il en avait son comptant. *Maine* est une prononciation paysanne pour *mine,* mesure de volume pour les grains, et «on dit populairement *Il en a pour sa mine de fèves,* quand on parle de celui qui a souffert quelque perte ou dommage» (Dictionnaire de Furetière, 1690).
53 *Angigorniaux:* ornements, accessoires tarabiscotés.
54 *Tout brandis:* d'après Littré, «tout comme nous sommes, sans avoir à nous recroqueviller». Cette tirade fait écho à celle de Sganarelle dans *L'École des maris,* I, 1, v. 17-40.
55 *Un garde-robe:* une sorte de tablier (leur haut-de-chausses est si large qu'il ressemble à un tablier).
56 *Brichet:* bréchet, sternum, estomac.
57 *Un grand mouchoir de cou à reziau:* une grande collerette de dentelle (réseau).
58 *De grands entonnoirs de passement:* de grands entonnoirs de dentelle. Il s'agit des canons dont Sganarelle se moque dans *L'École des maris,* v. 35-38.
59 Ces souliers avaient de très hauts talons.

CHARLOTTE.— Par ma fi, Piarrot, il faut que j'aille voir un peu ça.

PIERROT.— Oh acoute un peu auparavant, Charlotte, j'ai queuque autre chose à te dire, moi.

CHARLOTTE.— Et bian, dis, qu'est-ce que c'est?

PIERROT.— Vois-tu, Charlotte, il faut, comme dit l'autre, que je débonde mon cœur. Je t'aime, tu le sais bian, et je sommes pour estre mariés ensemble, mais marquenne, je ne suis point satisfait de toi.

CHARLOTTE.— Quement? qu'est-ce que c'est donc qu'iglia?

PIERROT.— Iglia que tu me chagraignes l'esprit, franchement.

CHARLOTTE.— Et quement donc?

PIERROT.— Testiguienne, tu ne m'aimes point.

CHARLOTTE.— Ah, ah, n'est que ça?

PIERROT.— Oui, ce n'est que ça, et c'est bian assez.

CHARLOTTE.— Mon quieu, Piarrot, tu me viens toujou dire la mesme chose.

PIERROT.— Je te dis toujou la mesme chose, parce que c'est toujou la mesme chose, et si ce n'était pas toujou la mesme chose, je ne te dirais pas toujou la mesme chose.

CHARLOTTE.— Mais qu'est-ce qu'il te faut? Que veux-tu?

PIERROT.— Jerniquenne, je veux que tu m'aimes.

CHARLOTTE.— Est-ce que je ne t'aime pas?

PIERROT.— Non, tu ne m'aimes pas, et si je fais tout ce que je pis pour ça. Je t'achète sans reproche des rubans à tous les marciers qui passont, je me romps le cou à t'aller denicher des marles, je fais jouer pour toi les vielleux quand ce vient ta feste, et tout ça comme si je me frappais la teste contre un mur. Vois-tu, ça ni biau ni honneste de n'aimer pas les gens qui nous aimont.

CHARLOTTE.— Mais, mon guieu, je t'aime aussi.

PIERROT.— Oui, tu m'aimes d'une belle deguaine[60]!

CHARLOTTE.— Quement veux-tu donc qu'on fasse?

PIERROT.— Je veux que l'en fasse comme l'en fait quand l'en aime comme il faut.

CHARLOTTE.— Ne t'aimé-je pas aussi comme il faut?

PIERROT.— Non, quand ça est, ça se voit, et l'en fait mille petites singeries aux personnes quand on les aime du bon du cœur. Regarde la grosse Thomasse[61] comme elle est assotée du jeune Robain: alle est toujou autour de li à l'agacer, et ne le laisse jamais en repos. Toujou al li fait queuque niche, ou li baille quelque taloche en passant, et l'autre jour qu'il estait assis sur un escabiau, al fut le tirer de dessous li, et le fit choir tout de son long par tarre. Jarni vlà où l'en voit les gens qui aimont, mais toi, tu ne me dis jamais mot, t'es toujou là comme eune vraie souche de bois, et je passerais vingt fois devant toi que tu ne te grouillerais pas pour me bailler le moindre coup, ou me dire la moindre chose. Ventrequenne, ça n'est pas bian, après tout, et t'es trop froide pour les gens.

CHARLOTTE.— Que veux-tu que j'y fasse? c'est mon himeur, et je ne me pis refondre.

PIERROT.— Ignia himeur qui quienne, quand en a de l'amiquié pour les personnes, l'an en baille toujou queuque petite signifiance.

CHARLOTTE.— Enfin, je t'aime tout autant que je pis, et si tu n'es pas content de ça, tu n'as qu'à en aimer queuque autre.

---

[60]   *D'une belle déguaine*: «de mauvaise grâce, d'une vilaine manière» (Dictionnaire de Furetière, 1690).
[61]   *Thomasse*: la fille de Thomas.

PIERROT.— Eh bien, vlà pas mon compte? Testigué, si tu m'aimais, me dirais-tu ça?

CHARLOTTE.— Pourquoi me viens-tu aussi tarabuster l'esprit?

PIERROT.— Morqué, queu mal te fais-je? Je ne te demande qu'un peu d'amiquié[62].

CHARLOTTE.— Eh bian, laisse faire aussi, et ne me presse point tant; peut-être que ça viendra tout d'un coup sans y songer.

PIERROT.— Touche donc là, Charlotte.

CHARLOTTE.— Eh bien, quien.

PIERROT.— Promets-moi donc que tu tâcheras de m'aimer davantage.

CHARLOTTE.— J'y ferai tout ce que je pourrai, mais il faut que ça vienne de lui-même. Pierrot, est-ce là ce Monsieur?

PIERROT.— Oui, le vlà.

CHARLOTTE.— Ah, mon quieu, qu'il est genti, et que ç'aurait été dommage qu'il eût esté nayé!

PIERROT.— Je revians tout à l'heure, je m'en vas boire chopaine pour me rebouter tant soit peu de la fatigue que j'ai eue.

SCÈNE II

DOM JUAN, SGANARELLE, CHARLOTTE.

DOM JUAN.— Nous avons manqué notre coup, Sganarelle, et cette bourrasque imprévue a renversé avec notre barque le projet que nous avions fait; mais à te dire vrai, la paysanne que je

---

62   VAR. Qu'un peu plus d'amiquié. (1683).

viens de quitter répare ce malheur, et je lui ai trouvé des charmes qui effacent de mon esprit tout le chagrin que me donnait le mauvais succès de notre entreprise. Il ne faut pas que ce cœur m'échappe, et j'y ai déjà jeté des dispositions à ne pas me souffrir longtemps de pousser des soupirs.

SGANARELLE.— Monsieur, j'avoue que vous m'étonnez; à peine sommes-nous échappés d'un péril de mort, qu'au lieu de rendre grâce au Ciel de la pitié qu'il a daigné prendre de nous, vous travaillez tout de nouveau à attirer sa colère par vos fantaisies accoutumées, et vos amours cr... Paix, coquin que vous êtes, vous ne savez ce que vous dites, et Monsieur sait ce qu'il fait, allons.

DOM JUAN, *apercevant Charlotte.*— Ah, ah, d'où sort cette autre paysanne, Sganarelle? As-tu rien vu de plus joli? Et ne trouves-tu pas, dis-moi, que celle-ci vaut bien l'autre?

SGANARELLE.— Assurément. Autre pièce nouvelle.

DOM JUAN.— D'où me vient, la belle, une rencontre si agréable? Quoi, dans ces lieux champêtres, parmi ces arbres et ces rochers, on trouve des personnes faites comme vous êtes?

CHARLOTTE.— Vous voyez, Monsieur.

DOM JUAN.— Êtes-vous de ce village?

CHARLOTTE.— Oui, Monsieur.

DOM JUAN.— Et vous y demeurez?

CHARLOTTE.— Oui, Monsieur.

DOM JUAN.— Vous vous appelez?

CHARLOTTE.— Charlotte, pour vous servir.

DOM JUAN.— Ah! la belle personne, et que ses yeux sont pénétrants?

CHARLOTTE.— Monsieur, vous me rendez toute honteuse.

DOM JUAN.— Ah, n'ayez point de honte d'entendre dire vos vérités. Sganarelle, qu'en dis-tu? Peut-on rien voir de plus agréable? Tournez-vous un peu, s'il vous plaît, ah que cette taille est jolie! Haussez un peu la tête, de grâce, ah que ce visage est mignon! Ouvrez vos yeux entièrement, ah qu'ils sont beaux! Que je voie un peu vos dents, je vous prie, ah qu'elles sont amoureuses! et ces lèvres appétissantes. Pour moi, je suis ravi, et je n'ai jamais vu une si charmante personne.

CHARLOTTE.— Monsieur, cela vous plaît à dire, et je ne sais pas si c'est pour vous railler de moi.

DOM JUAN.— Moi, me railler de vous? Dieu m'en garde, je vous aime trop pour cela, et c'est du fond du cœur que je vous parle.

CHARLOTTE.— Je vous suis bien obligée, si ça est.

DOM JUAN.— Point du tout, vous ne m'êtes point obligée de tout ce que je dis, et ce n'est qu'à votre beauté que vous en êtes redevable.

CHARLOTTE.— Monsieur, tout ça est trop bien dit pour moi, et je n'ai pas d'esprit pour vous répondre.

DOM JUAN.— Sganarelle, regarde un peu ses mains.

CHARLOTTE.— Fi, Monsieur, elles sont noires comme je ne sais quoi.

DOM JUAN.— Ha que dites-vous là, elles sont les plus belles du monde, souffrez que je les baise, je vous prie.

CHARLOTTE.— Monsieur, c'est trop d'honneur que vous me faites, et si j'avais su ça tantôt, je n'aurais pas manqué de les laver avec du son.

DOM JUAN.— Et dites-moi un peu, belle Charlotte, vous n'êtes pas mariée sans doute?

CHARLOTTE.— Non, Monsieur, mais je dois bientôt l'être avec Piarrot, le fils de la voisine Simonette.

DOM JUAN.— Quoi? une personne comme vous serait la femme d'un simple paysan? Non, non, c'est profaner tant de beautés, et vous n'êtes pas née pour demeurer dans un village, vous méritez sans doute[63] une meilleure fortune, et le Ciel qui le connaît bien, m'a conduit ici tout exprès pour empêcher ce mariage, et rendre justice à vos charmes: car enfin, belle Charlotte, je vous aime de tout mon cœur, et il ne tiendra qu'à vous que je vous arrache de ce misérable lieu, et ne vous mette dans l'état où vous méritez d'être, cet amour est bien prompt sans doute; mais quoi, c'est un effet, Charlotte, de votre grande beauté, et l'on vous aime autant en un quart d'heure, qu'on ferait une autre en six mois.

CHARLOTTE.— Aussi vrai, Monsieur, je ne sais comment faire quand vous parlez, ce que vous dites me fait aise, et j'aurais toutes les envies du monde de vous croire, mais on m'a toujou dit, qu'il ne faut jamais croire les Monsieux, et que vous autres courtisans êtes des enjoleus, qui ne songez qu'à abuser les filles.

DOM JUAN.— Je ne suis pas de ces gens-là.

SGANARELLE.— Il n'a garde.

CHARLOTTE.— Voyez-vous, Monsieur, il n'y a pas plaisir à se laisser abuser, je suis une pauvre paysanne, mais j'ai l'honneur en recommandation, et j'aimerais mieux me voir morte que de me voir déshonorée.

DOM JUAN.— Moi, j'aurais l'âme assez méchante pour abuser une personne comme vous, je serais assez lâche pour vous déshonorer? Non, non, j'ai trop de conscience pour cela, je vous aime, Charlotte, en tout bien et en tout honneur, et pour vous montrer que je vous dis vrai, sachez que je n'ai point d'autre dessein que de vous épouser, en voulez-vous un plus grand témoignage, m'y voilà prêt quand vous voudrez, et je prends à témoin l'homme que voilà de la parole que je vous donne.

SGANARELLE.— Non, non, ne craignez point, il se mariera avec vous tant que vous voudrez.

---

63   *Sans doute*: sans aucun doute.

DOM JUAN.— Ah, Charlotte, je vois bien que vous ne me connaissez pas encore, vous me faites grand tort de juger de moi par les autres, et s'il y a des fourbes dans le monde, des gens qui ne cherchent qu'à abuser des filles, vous devez me tirer du nombre, et ne pas mettre en doute la sincérité de ma foi, et puis votre beauté vous assure de tout. Quand on est faite comme vous, on doit être à couvert de toutes ces sortes de crainte, vous n'avez point l'air, croyez-moi, d'une personne qu'on abuse, et pour moi, je l'avoue, je me percerais le cœur de mille coups, si j'avais eu la moindre pensée de vous trahir.

CHARLOTTE.— Mon Dieu, je ne sais si vous dites vrai ou non, mais vous faites que l'on vous croit.

DOM JUAN.— Lorsque vous me croirez, vous me rendrez justice[64] assurément, et je vous réitère encore la promesse que je vous ai faite, ne l'acceptez-vous pas? et ne voulez-vous pas consentir à être ma femme?

CHARLOTTE.— Oui, pourvu que ma tante le veuille.

DOM JUAN.— Touchez donc là, Charlotte, puisque vous le voulez bien de votre part.

CHARLOTTE.— Mais au moins, Monsieur, ne m'allez pas tromper, je vous prie, il y aurait de la conscience à vous[65], et vous voyez comme j'y vais à la bonne foi.

DOM JUAN.— Comment, il semble que vous doutiez encore de ma sincérité? Voulez-vous que je fasse des serments épouvantables? Que le Ciel...

CHARLOTTE.— Mon Dieu, ne jurez point, je vous crois.

DOM JUAN.— Donnez-moi donc un petit baiser pour gage de votre parole.

CHARLOTTE.— Oh, Monsieur, attendez que je soyons mariés, je vous prie, après ça, je vous

---

[64]   VAR. Lorsque vous me croyez, vous me rendez justice. (1683).
[65]   *Il y aurait de la conscience à vous*: ce serait pour vous un cas de conscience, un motif de remords.

baiserai tant que vous voudrez.

DOM JUAN.— Eh bien, belle Charlotte, je veux tout ce que vous voulez, abandonnez-moi seulement votre main, et souffrez que par mille baisers je lui exprime le ravissement où je suis…

SCÈNE III

DOM JUAN, SGANARELLE, PIERROT, CHARLOTTE.

PIERROT, *se mettant entre-deux et poussant Dom Juan.*— Tout doucement, Monsieur, tenez-vous, s'il vous plaît, vous vous échauffez trop, et vous pourriez gagner la purésie[66].

DOM JUAN, *repoussant rudement Pierrot.*— Qui m'amène cet impertinent?

PIERROT.— Je vous dis qu'ou[67] vous tegniez, et qu'ou ne caressiais point nos accordées.

DOM JUAN *continue de le repousser.*— Ah, que de bruit!

PIERROT.— Jerniquenne, ce n'est pas comme ça qu'il faut pousser les gens.

CHARLOTTE, *prenant Pierrot par le bras.*— Et laisse-le faire aussi, Piarrot.

PIERROT.— Quement, que je le laisse faire. Je ne veux pas, moi.

DOM JUAN.— Ah.

PIERROT.— Testiguenne, parce qu'ous êtes Monsieu, ous viendrez caresser nos femmes à note barbe, allez-v's-en caresser les vôtres.

DOM JUAN.— Heu?

---

66   *Purésie*: pleurésie.
67   *Ou*: vous.

PIERROT.— Heu. *(Dom Juan lui donne un soufflet.)* Testigué ne me frappez pas. *(Autre soufflet.)* Oh, jernigué, *(Autre soufflet.)* Ventrequé, *(Autre soufflet.)* Palsanqué, Morquenne, ça n'est pas bian de battre les gens, et ce n'est pas là la récompense de v's avoir sauvé d'estre nayé.

CHARLOTTE.— Piarrot, ne te fâche point.

PIERROT.— Je me veux fâcher, et t'es une vilaine, toi, d'endurer qu'on te cajole[68].

CHARLOTTE.— Oh, Piarrot, ce n'est pas ce que tu penses, ce Monsieur veut m'épouser, et tu ne dois pas te bouter en colère.

PIERROT.— Quement? Jerni, tu m'es promise[69].

CHARLOTTE.— Ça n'y fait rien, Piarrot, si tu m'aimes, ne dois-tu pas être bien aise que je devienne Madame?

PIERROT.— Jerniqué, non, j'aime mieux te voir crevée que de te voir à un autre.

CHARLOTTE.— Va, va, Piarrot, ne te mets point en peine; si je sis Madame, je te ferai gagner queuque chose, et tu apporteras du beurre et du fromage cheux nous.

PIERROT.— Ventrequenne, je gni en porterai jamais, quand tu m'en poyrais deux fois autant. Est-ce donc comme ça que t'escoutes ce qu'il te dit? Morquenne, si j'avais su ça tantost, je me serais bian gardé de le tirer de gliau, et je gli aurais baillé un bon coup d'aviron sur la teste.

DOM JUAN, *s'approchant de Pierrot pour le frapper.*— Qu'est-ce que vous dites?

PIERROT, *s'éloignant derrière Charlotte.*— Jerniquenne, je ne crains parsonne.

DOM JUAN *passe du côté où est Pierrot.*— Attendez-moi un peu.

---

[68] VAR. Qu'on te caresse. (1683).
[69] VAR. *Tu renies promesse!* (1683).

PIERROT *repasse de l'autre côté de Charlotte.*— Je me moque de tout, moi.

DOM JUAN *court après Pierrot.*— Voyons cela.

PIERROT *se sauve encore derrière Charlotte.*— J'en avons bien vu d'autres.

DOM JUAN.— Houais.

SGANARELLE.— Eh, Monsieur, laissez là ce pauvre misérable. C'est conscience[70] de le battre. Écoute, mon pauvre garçon, retire-toi, et ne lui dis rien.

PIERROT *passe devant Sganarelle, et dit fièrement à Dom Juan.*— Je veux lui dire, moi.

DOM JUAN *lève la main pour donner un soufflet à Pierrot, qui baisse la tête, et Sganarelle reçoit le soufflet.*— Ah, je vous apprendrai.

SGANARELLE, *regardant Pierrot qui s'est baissé pour éviter le soufflet.*— Peste soit du maroufle.

DOM JUAN.— Te voilà payé de ta charité.

PIERROT.— Jarni, je vas dire à sa tante tout ce ménage-ci.

DOM JUAN.— Enfin je m'en vais être le plus heureux de tous les hommes, et je ne changerais pas mon bonheur à[71] toutes les choses du monde. Que de plaisirs quand vous serez ma femme, et que…

SCÈNE IV

DOM JUAN, SGANARELLE, CHARLOTTE, MATHURINE.

---

70   *C'est conscience*: ce serait pour vous un motif de remords.
71   *À*: contre.

SGANARELLE, *apercevant Mathurine.*— Ah, ah.

MATHURINE, *à Dom Juan.*— Monsieur, que faites-vous donc là avec Charlotte, est-ce que vous lui parlez d'amour aussi?

DOM JUAN, *à Mathurine.*— Non, au contraire, c'est elle qui me témoignait une envie d'être ma femme, et je lui répondais que j'étais engagé à vous.

CHARLOTTE.— Qu'est-ce que c'est donc que vous veut Mathurine?

DOM JUAN, *bas, à Charlotte.*— Elle est jalouse de me voir vous parler, et voudrait bien que je l'épousasse, mais je lui dis que c'est vous que je veux.

MATHURINE.— Quoi, Charlotte…

DOM JUAN, *bas, à Mathurine.*— Tout ce que vous lui direz sera inutile, elle s'est mis cela dans la tête.

CHARLOTTE.— Quement donc Mathurine…

DOM JUAN, *bas, à Charlotte.*— C'est en vain que vous lui parlerez, vous ne lui ôterez point cette fantaisie.

MATHURINE.— Est-ce que…

DOM JUAN, *bas, à Mathurine.*— Il n'y a pas moyen de lui faire entendre raison.

CHARLOTTE.— Je voudrais…

DOM JUAN,*bas, à Charlotte.*— Elle est obstinée comme tous les diables.

MATHURINE.— Vrament…

DOM JUAN, *bas, à Mathurine.*— Ne lui dites rien, c'est une folle.

CHARLOTTE.— Je pense...

DOM JUAN,*bas, à Charlotte*.— Laissez-la là, c'est une extravagante.

MATHURINE.— Non, non, il faut que je lui parle.

CHARLOTTE.— Je veux voir un peu ses raisons.

MATHURINE.— Quoi...

DOM JUAN, *bas, à Mathurine*.— Je gage qu'elle va vous dire que je lui ai promis de l'épouser.

CHARLOTTE.— Je...

DOM JUAN, *bas, à Charlotte*.— Gageons qu'elle vous soutiendra que je lui ai donné parole de la prendre pour femme.

MATHURINE.— Holà, Charlotte, ça n'est pas bien de courir sur le marché des autres[72].

CHARLOTTE.— Ça n'est pas honnête, Mathurine, d'être jalouse que Monsieur me parle.

MATHURINE.— C'est moi que Monsieur a vue la première.

CHARLOTTE.— S'il vous a vue la première, il m'a vue la seconde, et m'a promis de m'épouser.

DOM JUAN,*bas, à Mathurine*.— Eh bien, que vous ai-je dit?

MATHURINE.— Je vous baise les mains, c'est moi, et non pas vous qu'il a promis d'épouser.

DOM JUAN, *bas, à Charlotte*.— N'ai-je pas deviné?

CHARLOTTE.— À d'autres, je vous prie, c'est moi, vous dis-je.

---

[72] *Courir sur le marché des autres*: «on le dit figurément pour dire: vouloir emporter sur un autre une chose à quoi il a prétendu le premier» (Dictionnaire de l'Académie, 1694).

MATHURINE.— Vous vous moquez des gens, c'est moi, encore un coup.

CHARLOTTE.— Le vlà qui est pour le dire, si je n'ai pas raison.

MATHURINE.— Le vlà qui est pour me démentir, si je ne dis pas vrai.

CHARLOTTE.— Est-ce, Monsieur, que vous lui avez promis de l'épouser?

DOM JUAN, *bas, à Charlotte*.— Vous vous raillez de moi.

MATHURINE.— Est-il vrai, Monsieur, que vous lui avez donné parole d'être son mari?

DOM JUAN, *bas, à Mathurine*.— Pouvez-vous avoir cette pensée?

CHARLOTTE.— Vous voyez qu'al le soutient.

DOM JUAN, *bas, à Charlotte*.— Laissez-la faire.

MATHURINE.— Vous êtes témoin comme al l'assure.

DOM JUAN, *bas, à Mathurine*.— Laissez-la dire.

CHARLOTTE.— Non, non, il faut savoir la vérité.

MATHURINE.— Il est question de juger ça.

CHARLOTTE.— Oui, Mathurine, je veux que Monsieur vous montre votre bec jaune[73].

MATHURINE.— Oui, Charlotte, je veux que Monsieur vous rende un peu camuse[74].

---

73   *Montrer son bec jaune (ou son béjaune) à quelqu'un*: lui montrer par un signe certain qu'il a tort. Un *bec jaune* ou un *béjaune* est un oison; le mot désigne donc métaphoriquement un débutant.

74   *Rendre quelqu'un camus*, c'est lui faire honte de ses ignorances ou de ses erreurs.

CHARLOTTE.— Monsieur, videz la querelle, s'il vous plaît.

MATHURINE.— Mettez-nous d'accord, Monsieur.

CHARLOTTE, *à Mathurine.*— Vous allez voir.

MATHURINE, *à Charlotte*— Vous allez voir vous-même.

CHARLOTTE, *à Dom Juan.*— Dites.

MATHURINE, *à Dom Juan.*— Parlez.

DOM JUAN, *embarrassé, leur dit à toutes deux.*— Que voulez-vous que je dise? Vous soutenez également toutes deux que je vous ai promis de vous prendre pour femmes. Est-ce que chacune de vous ne sait pas ce qui en est, sans qu'il soit nécessaire que je m'explique davantage? Pourquoi m'obliger là-dessus à des redites? Celle à qui j'ai promis effectivement n'a-t-elle pas en elle-même de quoi se moquer des discours de l'autre, et doit-elle se mettre en peine, pourvu que j'accomplisse ma promesse? Tous les discours n'avancent point les choses, il faut faire, et non pas dire, et les effets décident[75] mieux que les paroles. Aussi n'est-ce rien que par là que je vous veux mettre d'accord, et l'on verra quand je me marierai, laquelle des deux a mon cœur. *(Bas, à Mathurine.)* Laissez-lui croire ce qu'elle voudra. *(Bas, à Charlotte.)* Laissez-la se flatter dans son imagination. *(Bas, à Mathurine.)* Je vous adore. *(Bas, à Charlotte.)* Je suis tout à vous. *(Bas, à Mathurine.)* Tous les visages sont laids auprès du vôtre. *(Bas, à Charlotte.)* On ne peut plus souffrir les autres quand on vous a vue. J'ai un petit ordre à donner, je viens vous retrouver dans un quart d'heure.

CHARLOTTE, *à Mathurine.*— Je suis celle qu'il aime, au moins.

MATHURINE.— C'est moi qu'il épousera.

SGANARELLE.— Ah, pauvres filles que vous êtes, j'ai pitié de votre innocence, et je ne puis souffrir de vous voir courir à votre malheur. Croyez-moi l'une et l'autre, ne vous amusez point à tous les contes qu'on vous fait, et demeurez dans votre village.

---

75   VAR. Et les effets décideront. (1683).

DOM JUAN, *revenant*.— Je voudrais bien savoir pourquoi Sganarelle ne me suit pas.

SGANARELLE.— Mon maître est un fourbe, il n'a dessein que de vous abuser, et en a bien abusé d'autres, c'est l'épouseur du genre humain, et... *(Il aperçoit Dom Juan.)* Cela est faux, et quiconque vous dira cela, vous lui devez dire qu'il en a menti. Mon maître n'est point l'épouseur du genre humain, il n'est point fourbe, il n'a pas dessein de vous tromper, et n'en a point abusé d'autres. Ah, tenez, le voilà, demandez-le plutôt à lui-même.

DOM JUAN.— Oui.

SGANARELLE.— Monsieur, comme le monde est plein de médisants, je vais au-devant des choses, et je leur disais que si quelqu'un leur venait dire du mal de vous, elles se gardassent bien de le croire, et ne manquassent pas de lui dire qu'il en aurait menti.

DOM JUAN.— Sganarelle.

SGANARELLE.— Oui, Monsieur est homme d'honneur, je le garantis tel.

DOM JUAN.— Hon.

SGANARELLE.— Ce sont des impertinents.

SCÈNE V

DOM JUAN, LA RAMÉE, CHARLOTTE, MATHURINE, SGANARELLE.

LA RAMÉE.— Monsieur, je viens vous avertir qu'il ne fait pas bon ici pour vous.

DOM JUAN.— Comment?

LA RAMÉE.— Douze hommes à cheval vous cherchent, qui doivent arriver ici dans un moment, je ne sais pas par quel moyen ils peuvent vous avoir suivi, mais j'ai appris cette nouvelle d'un paysan qu'ils ont interrogé, et auquel ils vous ont dépeint. L'affaire presse, et le plus tôt que vous pourrez sortir d'ici, sera le meilleur.

DOM JUAN, *à Charlotte et Mathurine*.— Une affaire pressante m'oblige de partir d'ici, mais je vous prie de vous ressouvenir de la parole que je vous ai donnée, et de croire que vous aurez de mes nouvelles avant qu'il soit demain au soir[76]. Comme la partie n'est pas égale, il faut user de stratagème, et éluder adroitement le malheur qui me cherche, je veux que Sganarelle se revête de mes habits, et moi...

SGANARELLE.— Monsieur, vous vous moquez, m'exposer à être tué sous vos habits, et...

DOM JUAN.— Allons vite, c'est trop d'honneur que je vous fais, et bien heureux est le valet qui peut avoir la gloire de mourir pour son maître.

SGANARELLE.— Je vous remercie d'un tel honneur. Ô Ciel, puisqu'il s'agit de mort, fais-moi la grâce de n'être point pris pour un autre.

ACTE III[77], SCÈNE PREMIÈRE

DOM JUAN, *en habit de campagne*, SGANARELLE, *en médecin*.

SGANARELLE.— Ma foi, Monsieur, avouez que j'ai eu raison, et que nous voilà l'un et l'autre déguisés à merveille. Votre premier dessein n'était point du tout à propos, et ceci nous cache bien mieux que tout ce que vous vouliez faire.

DOM JUAN.— Il est vrai que te voilà bien, et je ne sais où tu as été déterrer cet attirail ridicule.

SGANARELLE.— Oui? C'est l'habit[78] d'un vieux médecin qui a été laissé en gage au lieu où je

---

[76] D'après l'édition de 1734, Charlotte et Mathurine quittent la scène, et Dom Juan reste seul avec Sganarelle.

[77] D'après le marché du 3 décembre 1664, les scènes 1, 2, 3, 4 et la première partie de la scène 5 de l'acte IV ont pour décor une forêt où l'on voit à l'arrière-plan «une manière de temple», entendez une chapelle funéraire; la seconde partie de la scène 5 se déroule à l'intérieur de cette chapelle, qui est le mausolée du Commandeur.

[78] VAR. Oui, c'est l'habit. (1683).

l'ai pris, et il m'en a coûté de l'argent pour l'avoir. Mais savez-vous, Monsieur, que cet habit me met déjà en considération? que je suis salué des gens que je rencontre, et que l'on me vient consulter ainsi qu'un habile homme?

DOM JUAN.— Comment donc?

SGANARELLE.— Cinq ou six paysans et paysannes en me voyant passer me sont venus demander mon avis sur différentes maladies.

DOM JUAN.— Tu leur as répondu que tu n'y entendais rien?

SGANARELLE.— Moi, point du tout, j'ai voulu soutenir l'honneur de mon habit, j'ai raisonné sur le mal, et leur ai fait des ordonnances à chacun.

DOM JUAN.— Et quels remèdes encore leur as-tu ordonnés?

SGANARELLE.— Ma foi, Monsieur, j'en ai pris par où j'en ai pu attraper, j'ai fait mes ordonnances à l'aventure, et ce serait une chose plaisante si les malades guérissaient, et qu'on m'en vînt remercier.

DOM JUAN.— Et pourquoi non? Par quelle raison n'aurais-tu pas les mêmes privilèges qu'ont tous les autres médecins? Ils n'ont pas plus de part que toi aux guérisons des malades, et tout leur art est pure grimace. Ils ne font rien que recevoir la gloire des heureux succès, et tu peux profiter comme eux du bonheur du malade, et voir attribuer à tes remèdes tout ce qui peut venir des faveurs du hasard, et des forces de la nature.

SGANARELLE.— Comment, Monsieur, vous êtes aussi impie en médecine?

DOM JUAN.— C'est une des grandes erreurs qui soient parmi les hommes.

SGANARELLE.— Quoi, vous ne croyez pas au séné[79], ni à la casse[80], ni au vin émétique[81]?

---

[79] *Séné*: drogue laxative qui venait d'Éthiopie.
[80] *Casse*: pulpe d'une gousse tropicale qui avait des vertus purgatives.

DOM JUAN.— Et pourquoi veux-tu que j'y croie?

SGANARELLE.— Vous avez l'âme bien mécréante[82]. Cependant vous voyez depuis un temps que le vin émétique fait bruire ses fuseaux[83]. Ses miracles ont converti les plus incrédules esprits, et il n'y a pas trois semaines que j'en ai vu, moi qui vous parle, un effet merveilleux.

DOM JUAN.— Et quel?

SGANARELLE.— Il y avait un homme qui depuis six jours était à l'agonie, on ne savait plus que lui ordonner, et tous les remèdes ne faisaient rien, on s'avisa à la fin de lui donner de l'émétique.

DOM JUAN.— Il réchappa, n'est-ce pas?

SGANARELLE.— Non, il mourut.

DOM JUAN.— L'effet est admirable.

SGANARELLE.— Comment? il y avait six jours entiers qu'il ne pouvait mourir, et cela le fit mourir tout d'un coup. Voulez-vous rien de plus efficace?

DOM JUAN.— Tu as raison.

SGANARELLE.— Mais laissons là la médecine, où vous ne croyez point, et parlons des autres choses: car cet habit me donne de l'esprit, et je me sens en humeur de disputer contre vous. Vous savez bien que vous me permettez les disputes, et que vous ne me défendez que les remontrances.

---

81   *Le vin émétique*: préparation à base d'antimoine, remède purgatif très violent qui avait été longtemps décrié par les médecins parisiens, mais qui fut finalement autorisé en 1666, par une décision de la Faculté de médecine et un arrêt du Parlement de Paris.

82   VAR. Vous avez l'âme bien méchante. (1683).

83   *Faire bruire ses fuseaux*: faire du bruit, acquérir de la réputation (seul exemple de cette expression dans la langue écrite).

DOM JUAN.— Eh bien[84]!

SGANARELLE.— Je veux savoir un peu vos pensées à fond. Est-il possible que vous ne croyiez point du tout au Ciel?

DOM JUAN.— Laissons cela.

SGANARELLE.— C'est-à-dire que non. Et à l'Enfer?

DOM JUAN.— Eh.

SGANARELLE.— Tout de même[85]. Et au diable, s'il vous plaît?

DOM JUAN.— Oui, oui.

SGANARELLE.— Aussi peu. Ne croyez-vous point l'autre vie?

DOM JUAN.— Ah, ah, ah.

SGANARELLE.— Voilà un homme que j'aurai bien de la peine à convertir. Et dites-moi un peu, encore faut-il croire quelque chose. Qu'est ce que vous croyez[86]?

---

[84]   À partir de cette réplique de Dom Juan, voici la fin de cette scène 1 dans 1682 cartonnée: «DOM JUAN.— Eh bien? SGANARELLE.— Je veux savoir vos pensées à fond, et vous connaître un peu mieux que je ne fais: çà, quand voulez-vous mettre fin à vos débauches, et mener la vie d'un honnête homme? DOM JUAN *lève la main pour lui donner un soufflet.*— Ah! maître sot, vous allez d'abord aux remontrances. SGANARELLE, *en se reculant.*— Morbleu! je suis bien sot en effet de vouloir m'amuser à raisonner avec vous; faites tout ce que vous voudrez, il m'importe bien que vous vous perdiez ou non, et que... DOM JUAN, *en colère.*— Tais-toi. Songeons à notre affaire. Ne serions-nous point égarés? Appelle cet homme que voilà là-bas pour lui demander le chemin. SGANARELLE.— Holà, ho, l'homme; ho, mon compère; ho, l'ami, un petit mot, s'il vous plaît.»

[85]   *Tout de même:* exactement de la même façon, tout pareillement.

[86]   VAR. Et dites-moi un peu, le Moine bourru, qu'en croyez-vous? eh! DOM JUAN.— La peste soit du fat! SGANARELLE.— Et voilà ce que je ne puis souffrir; car il n'y a rien de plus vrai que le Moine bourru, et je me ferais pendre pour celui-là. Mais encore faut-il croire quelque chose dans le monde. Qu'est-ce donc que vous croyez? (1683).
Le Moine bourru était, selon le dictionnaire de Furetière (1690), «un lutin qui, dans la croyance du peuple, court les rues aux Avents de noël et qui fait des cris effroyables». Le

---

DOM JUAN.— Ce que je crois?

SGANARELLE.— Oui.

DOM JUAN.— Je crois que deux et deux sont quatre, Sganarelle, et que quatre et quatre sont huit[87].

SGANARELLE.— La belle croyance, que voilà[88]! Votre religion, à ce que je vois, est donc l'arithmétique? Il faut avouer qu'il se met d'étranges folies dans la tête des hommes, et que pour avoir bien étudié, on en est bien moins sage le plus souvent. Pour moi, Monsieur, je n'ai point étudié comme vous, Dieu merci, et personne ne saurait se vanter de m'avoir jamais rien appris; mais avec mon petit sens, mon petit jugement, je vois les choses mieux que tous les livres, et je comprends fort bien que ce monde que nous voyons, n'est pas un champignon qui soit venu tout seul en une nuit. Je voudrais bien vous demander qui a fait ces arbres-là, ces rochers, cette terre, et ce ciel que voilà là-haut, et si tout cela s'est bâti de lui-même? Vous voilà vous, par exemple, vous êtes là; est-ce que vous vous êtes fait tout seul, et n'a-t-il pas fallu que votre père ait engrossé votre mère pour vous faire? Pouvez-vous voir toutes les inventions dont la machine de l'homme est composée, sans admirer de quelle façon cela est agencé l'un dans l'autre, ces nerfs, ces os, ces veines, ces artères, ces... ce poumon, ce cœur, ce foie, et tous ces autres ingrédients qui sont là et qui... Oh dame, interrompez-moi donc si vous voulez, je ne saurais disputer si l'on ne m'interrompt, vous vous taisez exprès, et me laissez parler par belle malice.

DOM JUAN.— J'attends que ton raisonnement soit fini.

SGANARELLE.— Mon raisonnement est qu'il y a quelque chose d'admirable dans l'homme, quoi que vous puissiez dire, que tous les savants ne sauraient expliquer. Cela n'est-il pas merveilleux que me voilà ici, et que j'aie quelque chose dans la tête qui pense cent choses

---

qualificatif de *bourru* venait, selon Littré, du fait qu'il était représenté couvert de bourre ou de bure; mais il s'explique peut-être aussi par le caractère fantasque et extravagant qu'on lui attribuait (Despois et Mesnard).

87   VAR. Je sais que deux et deux font quatre, Sganarelle, et que quatre et quatre font huit. (1683).
Le mot était attribué au Prince Maurice d'Orange-Nassau, qui était fils de Guillaume le Taciturne et qui mourut en 1625.

88   VAR. Belle croyance et les beaux articles de foi que voici! (1683).

différentes en un moment, et fait de mon corps tout ce qu'elle veut[89]? Je veux frapper des mains, hausser le bras, lever les yeux au ciel, baisser la tête, remuer les pieds, aller à droit, à gauche, en avant, en arrière, tourner...

Il se laisse tomber en tournant.

DOM JUAN.— Bon, voilà ton raisonnement qui a le nez cassé.

SGANARELLE.— Morbleu, je suis bien sot de m'amuser à raisonner avec vous. Croyez ce que vous voudrez, il m'importe bien que vous soyez damné.

DOM JUAN.— Mais tout en raisonnant, je crois que nous sommes égarés? Appelle un peu cet homme que voilà là-bas pour lui demander le chemin.

SGANARELLE.— Holà ho, l'homme, ho, mon compère, ho l'ami, un petit mot, s'il vous plaît.

SCÈNE II

DOM JUAN, SGANARELLE, UN PAUVRE[90].

SGANARELLE.— Enseignez-nous un peu le chemin qui mène à la ville.

LE PAUVRE.— Vous n'avez qu'à suivre cette route, Messieurs, et détourner à main droite[91] quand vous serez au bout de la forêt. Mais je vous donne avis que vous devez vous tenir sur vos gardes, et que depuis quelque temps il y a des voleurs ici autour.

---

[89]   «Chez nos anciens auteurs, le pronom qui suit *quelque chose* se rapportait ordinairement au mot *chose*, et non pas à la locution prise dans son ensemble, et il se mettait par conséquent au féminin» (Marty-laveaux, cité par Despois-Mesnard).

[90]   Ce pauvre ressemble fort à un ermite. Dans 1682 cartonnée, il porte le nom de Francisque.

[91]   VAR. Vous n'avez qu'à suivre cette route, Messieurs, et tournez à main droite. (1683).

DOM JUAN.— Je te suis bien obligé, mon ami, et je te rends grâce de tout mon cœur[92].

LE PAUVRE.— Si vous vouliez, Monsieur, me secourir de quelque aumône.

DOM JUAN.— Ah, ah, ton avis est intéressé, à ce que je vois.

LE PAUVRE.— Je suis un pauvre homme, Monsieur, retiré tout seul dans ce bois depuis dix ans[93], et je ne manquerai pas de prier le Ciel qu'il vous donne toute sorte de biens.

DOM JUAN.— Eh, prie-le qu'il te donne un habit, sans te mettre en peine des affaires des autres.

SGANARELLE.— Vous ne connaissez pas Monsieur, bon homme, il ne croit qu'en deux et deux sont quatre, et en quatre et quatre sont huit.

DOM JUAN.— Quelle est ton occupation parmi ces arbres?

LE PAUVRE.— De prier le Ciel tout le jour pour la prospérité des gens de bien qui me donnent quelque chose.

DOM JUAN.— Il ne se peut donc pas que tu ne sois bien à ton aise.

LE PAUVRE.— Hélas, Monsieur, je suis dans la plus grande nécessité du monde.

DOM JUAN.— Tu te moques; un homme qui prie le Ciel tout le jour, ne peut pas manquer d'être bien dans ses affaires.

LE PAUVRE.— Je vous assure, Monsieur, que le plus souvent je n'ai pas un morceau de pain à

---

92   VAR. À partir de cette réplique de Dom Juan, voici la fin de cette scène dans 1682 cartonnée: «et je te rends grâce de tout mon cœur de ton bon avis. SGANARELLE, *regardant dans la forêt.*— Ha, Monsieur, quel bruit, quel cliquetis! DOM JUAN, *en se retournant.*— Que vois-je là? Un homme attaqué par trois autres? La partie est trop inégale, et je ne dois pas souffrir cette lâcheté. *Il court au lieu du combat.*»

93   VAR. Depuis plus de dix ans. (1683).

mettre sous les dents[94].

DOM JUAN.— Voilà qui est étrange, et tu es bien mal reconnu de tes soins; ah, ah, je m'en vais te donner un Louis d'or tout à l'heure[95], pourvu que tu veuilles jurer.

LE PAUVRE.— Ah, Monsieur, voudriez-vous que je commisse un tel péché?

DOM JUAN.— Tu n'as qu'à voir si tu veux gagner un Louis d'or ou non, en voici un que je te donne si tu jures, tiens il faut jurer.

LE PAUVRE.— Monsieur.

SGANARELLE.— Va, va, jure un peu, il n'y a pas de mal.

DOM JUAN.— Prends, le voilà, prends te dis-je, mais jure donc.

LE PAUVRE.— Non Monsieur, j'aime mieux mourir de faim.

DOM JUAN.— Va, va, je te le donne pour l'amour de l'humanité, mais que vois-je là? Un homme attaqué par trois autres? La partie est trop inégale, et je ne dois pas souffrir cette lâcheté.

SCÈNE III

DOM JUAN, DOM CARLOS, SGANARELLE.

SGANARELLE.— Mon maître est un vrai enragé d'aller se présenter à un péril qui ne le cherche pas, mais, ma foi, le secours a servi, et les deux ont fait fuir les trois.

---

94   À partir de cette réplique du Pauvre, voici la fin de la scène dans 1682: «LE PAUVRE.— [...] je n'ai pas un morceau de pain à mettre sous les dents. DOM JUAN.— Je te veux donner un louis d'or, et je te le donne pour l'amour de l'humanité. Mais que vois-je là? Un homme attaqué par trois autres? La partie est trop inégale, et je ne dois pas souffrir cette lâcheté.» Nous donnons donc ici la fin de la scène selon l'édition de 1683.
95   *Tout à l'heure*: sur le champ.

DOM CARLOS, *l'épée à la main.*— On voit par la fuite de ces voleurs de quel secours est votre bras, souffrez, Monsieur, que je vous rende grâce d'une action si généreuse, et que…

DOM JUAN, *revenant l'épée à la main.*— Je n'ai rien fait, Monsieur, que vous n'eussiez fait en ma place. Notre propre honneur est intéressé dans de pareilles aventures, et l'action de ces coquins était si lâche, que c'eût été y prendre part que de ne s'y pas opposer, mais par quelle rencontre vous êtes-vous trouvé entre leurs mains?

DOM CARLOS.— Je m'étais par hasard égaré d'un frère[96], et de tous ceux de notre suite, et comme je cherchais à les rejoindre, j'ai fait rencontre de ces voleurs, qui d'abord ont tué mon cheval, et qui sans votre valeur en auraient fait autant de moi.

DOM JUAN.— Votre dessein est-il d'aller du côté de la ville?

DOM CARLOS.— Oui, mais sans y vouloir entrer, et nous nous voyons obligés mon frère et moi à tenir la campagne pour une de ces fâcheuses affaires qui réduisent les gentilshommes à se sacrifier eux et leur famille à la sévérité de leur honneur, puisque enfin le plus doux succès en est toujours funeste, et que si l'on ne quitte pas la vie, on est contraint de quitter le royaume, et c'est en quoi je trouve la condition d'un gentilhomme malheureuse, de ne pouvoir point s'assurer sur toute la prudence et toute l'honnêteté de sa conduite, d'être asservi par les lois de l'honneur au dérèglement de la conduite d'autrui, et de voir sa vie, son repos, et ses biens dépendre de la fantaisie du premier téméraire, qui s'avisera de lui faire une de ces injures pour qui un honnête homme doit périr.

DOM JUAN.— On a cet avantage qu'on fait courir le même risque, et passer aussi mal le temps à ceux qui prennent fantaisie de nous venir faire une offense de gaieté de cœur. Mais ne serait-ce point une indiscrétion que de vous demander quelle peut être votre affaire?

DOM CARLOS.— La chose en est aux termes de n'en plus faire de secret, et lorsque l'injure a une fois éclaté, notre honneur ne va point à vouloir cacher notre honte, mais à faire éclater notre vengeance, et à publier même le dessein que nous en avons. Ainsi, Monsieur, je ne feindrai

---

96   VAR. Je m'étais par hasard écarté d'un frère. (1683).

point de vous dire[97] que l'offense que nous cherchons à venger, est une sœur séduite et enlevée d'un couvent, et que l'auteur de cette offense est un Dom Juan Tenorio, fils de Dom Louis Tenorio. Nous le cherchons depuis quelques jours, et nous l'avons suivi ce matin sur le rapport d'un valet, qui nous a dit qu'il sortait à cheval accompagné de quatre ou cinq, et qu'il avait pris le long de cette côte, mais tous nos soins ont été inutiles, et nous n'avons pu découvrir ce qu'il est devenu.

DOM JUAN.— Le connaissez-vous, Monsieur, ce Dom Juan dont vous parlez?

DOM CARLOS.— Non, quant à moi. Je ne l'ai jamais vu, et je l'ai seulement ouï dépeindre à mon frère, mais la renommée n'en dit pas force bien, et c'est un homme dont la vie...

DOM JUAN.— Arrêtez, Monsieur, s'il vous plaît, il est un peu de mes amis, et ce serait à moi une espèce de lâcheté que d'en ouïr dire du mal.

DOM CARLOS.— Pour l'amour de vous, Monsieur, je n'en dirai rien du tout, et c'est bien la moindre chose que je vous doive, après m'avoir sauvé la vie, que de me taire devant vous d'une personne que vous connaissez, lorsque je ne puis en parler sans en dire du mal: mais quelque ami que vous lui soyez, j'ose espérer que vous n'approuverez pas son action, et ne trouverez pas étrange que nous cherchions d'en prendre la vengeance.

DOM JUAN.— Au contraire, je vous y veux servir, et vous épargner des soins inutiles; je suis ami de Dom Juan, je ne puis pas m'en empêcher, mais il n'est pas raisonnable qu'il offense impunément des gentilshommes, et je m'engage à vous faire faire raison par lui.

DOM CARLOS.— Et quelle raison peut-on faire à ces sortes d'injures?

DOM JUAN.— Toute celle que votre honneur peut souhaiter, et sans vous donner la peine de chercher Dom Juan davantage, je m'oblige à le faire trouver au lieu que vous voudrez, et quand il vous plaira.

DOM CARLOS.— Cet espoir est bien doux, Monsieur, à des cœurs offensés; mais après ce que

---

[97]   *Je ne feindrai point de vous dire:* je n'hésiterai point à vous dire...

je vous dois, ce me serait une trop sensible douleur, que vous fussiez de la partie[98].

DOM JUAN.— Je suis si attaché à Dom Juan, qu'il ne saurait se battre que je ne me batte aussi: mais enfin j'en réponds comme de moi-même, et vous n'avez qu'à dire quand vous voulez qu'il paraisse, et vous donne satisfaction.

DOM CARLOS.— Que ma destinée est cruelle! Faut-il que je vous doive la vie, et que Dom Juan soit de vos amis?

SCÈNE IV

DOM ALONSE, *et trois suivants*, DOM CARLOS, DOM JUAN, SGANARELLE.

DOM ALONSE.— Faites boire là mes chevaux, et qu'on les amène après nous, je veux un peu marcher à pied. Ô Ciel, que vois-je ici? Quoi, mon frère, vous voilà avec notre ennemi mortel?

DOM CARLOS.— Notre ennemi mortel?

DOM JUAN, *se reculant de trois pas et mettant fièrement la main sur la garde de son épée.*— Oui, je suis Dom Juan moi-même, et l'avantage du nombre ne m'obligera pas à vouloir déguiser mon nom.

DOM ALONSE.— Ah, traître, il faut que tu périsses, et...

DOM CARLOS.— Ah, mon frère, arrêtez, je lui suis redevable de la vie, et sans le secours de son bras, j'aurais été tué par des voleurs que j'ai trouvés.

DOM ALONSE.— Et voulez-vous que cette considération empêche notre vengeance? Tous les services que nous rend une main ennemie, ne sont d'aucun mérite pour engager notre âme; et s'il faut mesurer l'obligation à l'injure, votre reconnaissance, mon frère, est ici ridicule; et comme l'honneur est infiniment plus précieux que la vie, c'est ne devoir rien proprement, que d'être

---

98   *Que vous fussiez de la partie*: que vous fussiez au combat (en servant de second à votre ami).

redevable de la vie à qui nous a ôté l'honneur.

DOM CARLOS.— Je sais la différence, mon frère, qu'un gentilhomme doit toujours mettre entre l'un et l'autre, et la reconnaissance de l'obligation n'efface point en moi le ressentiment de l'injure: mais souffrez que je lui rende ici ce qu'il m'a prêté, que je m'acquitte sur-le-champ de la vie que je lui dois par un délai de notre vengeance, et lui laisse la liberté de jouir durant quelques jours du fruit de son bienfait.

DOM ALONSE.— Non, non, c'est hasarder notre vengeance que de la reculer, et l'occasion de la prendre peut ne plus revenir; le Ciel nous l'offre ici, c'est à nous d'en profiter. Lorsque l'honneur est blessé mortellement, on ne doit point songer à garder aucunes mesures, et si vous répugnez à prêter votre bras à cette action, vous n'avez qu'à vous retirer, et laisser à ma main la gloire d'un tel sacrifice.

DOM CARLOS.— De grâce, mon frère…

DOM ALONSE.— Tous ces discours sont superflus; il faut qu'il meure.

DOM CARLOS.— Arrêtez-vous, dis-je, mon frère, je ne souffrirai point du tout qu'on attaque ses jours, et je jure le Ciel que je le défendrai ici contre qui que ce soit, et je saurai lui faire un rempart de cette même vie qu'il a sauvée, et pour adresser vos coups, il faudra que vous me perciez.

DOM ALONSE.— Quoi vous prenez le parti de notre ennemi contre moi, et loin d'être saisi à son aspect des mêmes transports que je sens, vous faites voir pour lui des sentiments pleins de douceur?

DOM CARLOS.— Mon frère, montrons de la modération dans une action légitime, et ne vengeons point notre honneur avec cet emportement que vous témoignez. Ayons du cœur dont nous soyons les maîtres, une valeur qui n'ait rien de farouche, et qui se porte aux choses par une pure délibération de notre raison, et non point par le mouvement d'une aveugle colère. Je ne veux point, mon frère, demeurer redevable à mon ennemi, et je lui ai une obligation dont il faut que je m'acquitte avant toute chose. Notre vengeance pour être différée n'en sera pas moins éclatante; au contraire, elle en tirera de l'avantage, et cette occasion de l'avoir pu prendre, la fera paraître plus juste aux yeux de tout le monde.

DOM ALONSE.— Ô l'étrange faiblesse, et l'aveuglement effroyable d'hasarder ainsi les intérêts de son honneur pour la ridicule pensée d'une obligation chimérique!

DOM CARLOS.— Non, mon frère, ne vous mettez pas en peine; si je fais une faute, je saurai bien la réparer, et je me charge de tout le soin de notre honneur, je sais à quoi il nous oblige, et cette suspension d'un jour que ma reconnaissance lui demande, ne fera qu'augmenter l'ardeur que j'ai de le satisfaire. Dom Juan, vous voyez que j'ai soin de vous rendre le bien que j'ai reçu de vous, et vous devez par là juger du reste, croire que je m'acquitte avec même chaleur de ce que je dois, et que je ne serai pas moins exact à vous payer l'injure que le bienfait. Je ne veux point vous obliger ici à expliquer vos sentiments, et je vous donne la liberté de penser à loisir aux résolutions que vous avez à prendre. Vous connaissez assez la grandeur de l'offense que vous nous avez faite, et je vous fais juge vous-même des réparations qu'elle demande. Il est des moyens doux pour nous satisfaire; il en est de violents et de sanglants; mais enfin, quelque choix que vous fassiez, vous m'avez donné parole de me faire faire raison par Dom Juan; songez à me la faire[99], je vous prie, et vous ressouvenez que hors d'ici je ne dois plus qu'à mon honneur.

DOM JUAN.— Je n'ai rien exigé de vous, et vous tiendrai ce que j'ai promis.

DOM CARLOS.— Allons, mon frère, un moment de douceur ne fait aucune injure à la sévérité de notre devoir.

SCÈNE V

DOM JUAN, SGANARELLE.

DOM JUAN.— Holà, hé, Sganarelle.

SGANARELLE.— Plaît-il?

DOM JUAN.— Comment, coquin, tu fuis quand on m'attaque?

---

99   *Songez à me la faire*: songez à me faire raison, à me donner satisfaction.

SGANARELLE.— Pardonnez-moi, Monsieur, je viens seulement d'ici près, je crois que cet habit est purgatif, et que c'est prendre médecine que de le porter.

DOM JUAN.— Peste soit l'insolent, couvre au moins ta poltronnerie d'un voile plus honnête, sais-tu bien qui est celui à qui j'ai sauvé la vie.

SGANARELLE.— Moi? Non.

DOM JUAN.— C'est un frère d'Elvire.

SGANARELLE.— Un...

DOM JUAN.— Il est assez honnête homme, il en a bien usé, et j'ai regret d'avoir démêlé avec lui.

SGANARELLE.— Il vous serait aisé de pacifier toutes choses.

DOM JUAN.— Oui, mais ma passion est usée pour Done Elvire, et l'engagement ne compatit point avec mon humeur. J'aime la liberté en amour, tu le sais, et je ne saurais me résoudre à renfermer mon cœur entre quatre murailles. Je te l'ai dit vingt fois, j'ai une pente naturelle à me laisser aller à tout ce qui m'attire. Mon cœur est à toutes les belles, et c'est à elles à le prendre tour à tour, et à le garder tant qu'elles le pourront. Mais quel est le superbe édifice que je vois entre ces arbres?

SGANARELLE.— Vous ne le savez pas?

DOM JUAN.— Non, vraiment.

SGANARELLE.— Bon, c'est le tombeau que le Commandeur faisait faire lorsque vous le tuâtes.

DOM JUAN.— Ah, tu as raison, je ne savais pas que c'était de ce côté-ci qu'il était. Tout le monde m'a dit des merveilles de cet ouvrage, aussi bien que de la statue du Commandeur, et j'ai envie de l'aller voir.

SGANARELLE.— Monsieur, n'allez point là.

DOM JUAN.— Pourquoi?

SGANARELLE.— Cela n'est pas civil, d'aller voir un homme que vous avez tué.

DOM JUAN.— Au contraire, c'est une visite dont je lui veux faire civilité, et qu'il doit recevoir de bonne grâce, s'il est galant homme; allons, entrons dedans.

Le tombeau s'ouvre, où l'on voit un superbe mausolée,
et la statue du Commandeur.

SGANARELLE.— Ah, que cela est beau! les belles statues! le beau marbre! les beaux piliers! Ah, que cela est beau, qu'en dites-vous, Monsieur?

DOM JUAN.— Qu'on ne peut voir aller plus loin l'ambition d'un homme mort, et ce que je trouve admirable[100], c'est qu'un homme qui s'est passé[101] durant sa vie d'une assez simple demeure, en veuille avoir une si magnifique pour quand il n'en a plus que faire.

SGANARELLE.— Voici la statue du Commandeur.

DOM JUAN.— Parbleu, le voilà bon avec son habit d'empereur romain.

SGANARELLE.— Ma foi, Monsieur, voilà qui est bien fait. Il semble qu'il est en vie, et qu'il s'en va parler. Il jette des regards sur nous qui me feraient peur si j'étais tout seul, et je pense qu'il ne prend pas plaisir de nous voir.

DOM JUAN.— Il aurait tort, et ce serait mal recevoir l'honneur que je lui fais. Demande-lui s'il veut venir souper avec moi.

SGANARELLE.— C'est une chose dont il n'a pas besoin, je crois.

DOM JUAN.— Demande-lui, te dis-je.

---

100   *Admirable*: surprenant.
101   *Qui s'est passé*: qui s'est contenté.

SGANARELLE.— Vous moquez-vous? Ce serait être fou que d'aller parler à une statue.

DOM JUAN.— Fais ce que je te dis.

SGANARELLE.— Quelle bizarrerie! Seigneur Commandeur... je ris de ma sottise, mais c'est mon maître qui me la fait faire. Seigneur Commandeur, mon maître Dom Juan vous demande si vous voulez lui faire l'honneur de venir souper avec lui. *(La statue baisse la tête.)* Ha!

DOM JUAN.— Qu'est-ce? qu'as-tu, dis donc, veux-tu parler?

SGANARELLE *fait le même signe que lui a fait la statue et baisse la tête.*— La statue...

DOM JUAN.— Eh bien, que veux-tu dire, traître?

SGANARELLE.— Je vous dis que la statue...

DOM JUAN.— Eh bien, la statue? Je t'assomme si tu ne parles.

SGANARELLE.— La statue m'a fait signe.

DOM JUAN.— La peste le coquin.

SGANARELLE.— Elle m'a fait signe, vous dis-je, il n'est rien de plus vrai. Allez-vous-en lui parler vous-même pour voir; peut-être...

DOM JUAN.— Viens, maraud, viens, je te veux bien faire toucher au doigt ta poltronnerie, prends garde. Le seigneur Commandeur voudrait-il venir souper avec moi?
La statue baisse encore la tête.

SGANARELLE.— Je ne voudrais pas en tenir dix pistoles[102]. Eh bien, Monsieur?

DOM JUAN.— Allons, sortons d'ici.

---

102   Expression de satisfaction. Cf. *L'École des maris*, v. 886.

SGANARELLE.— Voilà de mes esprits forts[103] qui ne veulent rien croire.

ACTE IV[104], SCÈNE PREMIÈRE

DOM JUAN, SGANARELLE.

DOM JUAN.— Quoi qu'il en soit, laissons cela, c'est une bagatelle, et nous pouvons avoir été trompés par un faux jour, ou surpris de quelque vapeur qui nous ait troublé la vue.

SGANARELLE.— Eh, Monsieur, ne cherchez point à démentir ce que nous avons vu des yeux que voilà. Il n'est rien de plus véritable que ce signe de tête, et je ne doute point que le Ciel scandalisé de votre vie, n'ait produit ce miracle pour vous convaincre, et pour vous retirer de...

DOM JUAN.— Écoute. Si tu m'importunes davantage de tes sottes moralités, si tu me dis encore le moindre mot là-dessus, je vais appeler quelqu'un, demander un nerf de bœuf, te faire tenir par trois ou quatre, et te rouer de mille coups. M'entends-tu bien?

SGANARELLE.— Fort bien, Monsieur, le mieux du monde, vous vous expliquez clairement, c'est ce qu'il y a de bon en vous, que vous n'allez point chercher de détours, vous dites les choses avec une netteté admirable.

DOM JUAN.— Allons, qu'on me fasse souper le plus tôt que l'on pourra, une chaise, petit garçon.

SCÈNE II

DOM JUAN, LA VIOLETTE, SGANARELLE.

---

103   *Esprits forts*: libertins*, libres-penseurs.
104   D'après le marché du 3 décembre 1664, le décor du IVe acte est la chambre de Dom Juan.

LA VIOLETTE.— Monsieur, voilà votre marchand, M. Dimanche, qui demande à vous parler.

SGANARELLE.— Bon, voilà ce qu'il nous faut qu'un compliment de créancier. De quoi s'avise-t-il de nous venir demander de l'argent, et que ne lui disais-tu que Monsieur n'y est pas?

LA VIOLETTE.— Il y a trois quarts d'heure que je lui dis, mais il ne veut pas le croire, et s'est assis là-dedans pour attendre.

SGANARELLE.— Qu'il attende, tant qu'il voudra.

DOM JUAN.— Non, au contraire, faites-le entrer, c'est une fort mauvaise politique que de se faire celer aux créanciers. Il est bon de les payer de quelque chose, et j'ai le secret de les renvoyer satisfaits sans leur donner un double[105].

SCÈNE III

DOM JUAN, M. DIMANCHE, SGANARELLE, *Suite.*

DOM JUAN, *faisant de grandes civilités.*— Ah, Monsieur Dimanche, approchez. Que je suis ravi de vous voir, et que je veux de mal à mes gens de ne vous pas faire entrer d'abord[106]! J'avais donné ordre qu'on ne me fît parler personne[107], mais cet ordre n'est pas pour vous, et vous êtes en droit de ne trouver jamais de porte fermée chez moi.

M. DIMANCHE.— Monsieur, je vous suis fort obligé.

DOM JUAN, *parlant à ses laquais.*— Parbleu, coquins, je vous apprendrai à laisser M. Dimanche dans une antichambre, et je vous ferai connaître les gens.

M. DIMANCHE.— Monsieur, cela n'est rien.

---

[105] Le double valait 2 deniers, soit 1/6 de sol.
[106] *D'abord*: aussitôt, sur-le-champ.
[107] *Qu'on ne fît parler personne*: qu'on ne laissât personne me parler.

DOM JUAN.— Comment? vous dire que je n'y suis pas, à M. Dimanche, au meilleur de mes amis?

M. DIMANCHE.— Monsieur, je suis votre serviteur. J'étais venu…

DOM JUAN.— Allons vite, un siège pour M. Dimanche.

M. DIMANCHE.— Monsieur, je suis bien comme cela.

DOM JUAN.— Point, point, je veux que vous soyez assis contre moi[108].

M. DIMANCHE.— Cela n'est point nécessaire.

DOM JUAN.— Ôtez ce pliant, et apportez un fauteuil.

M. DIMANCHE.— Monsieur, vous vous moquez, et…

DOM JUAN.— Non, non, je sais ce que je vous dois, et je ne veux point qu'on mette de différence entre nous deux.

M. DIMANCHE.— Monsieur…

DOM JUAN.— Allons, asseyez-vous.

M. DIMANCHE.— Il n'est pas besoin, Monsieur, et je n'ai qu'un mot à vous dire. J'étais…

DOM JUAN.— Mettez-vous là, vous dis-je.

M. DIMANCHE.— Non, Monsieur, je suis bien, je viens pour…

DOM JUAN.— Non, je ne vous écoute point si vous n'êtes assis.

M. DIMANCHE.— Monsieur, je fais ce que vous voulez. Je…

---

108   *Contre moi*: tout près de moi.

DOM JUAN.— Parbleu, Monsieur Dimanche, vous vous portez bien.

M. DIMANCHE.— Oui, Monsieur, pour vous rendre service. Je suis venu…

DOM JUAN.— Vous avez un fonds de santé admirable, des lèvres fraîches, un teint vermeil, et des yeux vifs.

M. DIMANCHE.— Je voudrais bien…

DOM JUAN.— Comment se porte Madame Dimanche, votre épouse?

M. DIMANCHE.— Fort bien, Monsieur, Dieu merci.

DOM JUAN.— C'est une brave femme.

M. DIMANCHE.— Elle est votre servante, Monsieur. Je venais…

DOM JUAN.— Et votre petite fille Claudine, comment se porte-t-elle?

M. DIMANCHE.— Le mieux du monde.

DOM JUAN.— La jolie petite fille que c'est! Je l'aime de tout mon cœur.

M. DIMANCHE.— C'est trop d'honneur que vous lui faites, Monsieur. Je vous…

DOM JUAN.— Et le petit Colin, fait-il toujours bien du bruit avec son tambour?

M. DIMANCHE.— Toujours de même, Monsieur. Je…

DOM JUAN.— Et votre petit chien Brusquet? gronde-t-il toujours aussi fort, et mord-il toujours bien aux jambes les gens qui vont chez vous?

M. DIMANCHE.— Plus que jamais, Monsieur, et nous ne saurions en chevir[109].

DOM JUAN.— Ne vous étonnez pas si je m'informe des nouvelles de toute la famille, car j'y prends beaucoup d'intérêt.

M. DIMANCHE.— Nous vous sommes, Monsieur, infiniment obligés. Je...

DOM JUAN, *lui tendant la main*.— Touchez donc là[110], Monsieur Dimanche. Êtes-vous bien de mes amis?

M. DIMANCHE.— Monsieur, je suis votre serviteur.

DOM JUAN.— Parbleu! je suis à vous de tout mon cœur.

M. DIMANCHE.— Vous m'honorez trop. Je...

DOM JUAN.— Il n'y a rien que je ne fisse pour vous.

M. DIMANCHE.— Monsieur, vous avez trop de bonté pour moi.

DOM JUAN.— Et cela sans intérêt, je vous prie de le croire.

M. DIMANCHE.— Je n'ai point mérité cette grâce assurément, mais, Monsieur...

DOM JUAN.— Oh çà, Monsieur Dimanche, sans façon, voulez-vous souper avec moi?

M. DIMANCHE.— Non, Monsieur, il faut que je m'en retourne tout à l'heure[111]. Je...

DOM JUAN, *se levant*.— Allons, vite un flambeau pour conduire Monsieur Dimanche, et que quatre ou cinq de mes gens prennent des mousquetons pour l'escorter.

---

109   *En chevir:* en être le maître, le mettre à la raison. Le mot est vieilli et populaire.
110   Tendre la main à quelqu'un, au XVIIe siècle, n'est pas une manifestation banale de politesse, mais un geste qui scelle une alliance: réconciliation, amitié, accord, fiançailles, etc.
111   *Tout à l'heure:* tout de suite.

M. DIMANCHE, *se levant de même.*— Monsieur, il n'est pas nécessaire, et je m'en irai bien tout seul. Mais...

Sganarelle ôte les sièges promptement.

DOM JUAN.— Comment? Je veux qu'on vous escorte, et je m'intéresse trop à votre personne, je suis votre serviteur, et de plus votre débiteur.

M. DIMANCHE.— Ah, Monsieur...

DOM JUAN.— C'est une chose que je ne cache pas, et je le dis à tout le monde.

M. DIMANCHE.— Si...

DOM JUAN.— Voulez-vous que je vous reconduise?

M. DIMANCHE.— Ah, Monsieur, vous vous moquez. Monsieur...

DOM JUAN.— Embrassez-moi donc, s'il vous plaît, je vous prie encore une fois d'être persuadé que je suis tout à vous, et qu'il n'y a rien au monde que je ne fisse pour votre service.

Il sort.

SGANARELLE.— Il faut avouer que vous avez en Monsieur un homme qui vous aime bien.

M. DIMANCHE.— Il est vrai, il me fait tant de civilités et tant de compliments que je ne saurais jamais lui demander de l'argent.

SGANARELLE.— Je vous assure que toute sa maison périrait pour vous, et je voudrais qu'il vous arrivât quelque chose, que quelqu'un s'avisât de vous donner des coups de bâton, vous verriez de quelle manière...

M. DIMANCHE.— Je le crois, mais, Sganarelle, je vous prie de lui dire un petit mot de mon argent.

SGANARELLE.— Oh, ne vous mettez pas en peine. Il vous payera le mieux du monde.

M. DIMANCHE.— Mais vous, Sganarelle, vous me devez quelque chose en votre particulier.

SGANARELLE.— Fi, ne parlez pas de cela.

M. DIMANCHE.— Comment? Je…

SGANARELLE.— Ne sais-je pas bien que je vous dois?

M. DIMANCHE.— Oui, mais…

SGANARELLE.— Allons, Monsieur Dimanche, je vais vous éclairer.

M. DIMANCHE.— Mais mon argent…

SGANARELLE, *prenant M. Dimanche par le bras.*— Vous moquez-vous?

M. DIMANCHE.— Je veux…

SGANARELLE, *le tirant.*— Eh.

M. DIMANCHE.— J'entends…

SGANARELLE, *le poussant.*— Bagatelles.

M. DIMANCHE.— Mais…

SGANARELLE, *le poussant.*— Fi.

M. DIMANCHE.— Je…

SGANARELLE, *le poussant tout à fait hors du théâtre.*— Fi, vous dis-je.

SCÈNE IV

DOM LOUIS, DOM JUAN, LA VIOLETTE, SGANARELLE.

LA VIOLETTE.— Monsieur, voilà Monsieur votre père.

DOM JUAN.— Ah, me voici bien, il me fallait cette visite pour me faire enrager.

DOM LOUIS.— Je vois bien que je vous embarrasse, et que vous vous passeriez fort aisément de ma venue. À dire vrai, nous nous incommodons étrangement l'un et l'autre, et si vous êtes las de me voir, je suis bien las aussi de vos déportements[112]. Hélas, que nous savons peu ce que nous faisons, quand nous ne laissons pas au Ciel le soin des choses qu'il nous faut, quand nous voulons être plus avisés que lui, et que nous venons à l'importuner par nos souhaits aveugles, et nos demandes inconsidérées! J'ai souhaité un fils avec des ardeurs nonpareilles, je l'ai demandé sans relâche avec des transports incroyables, et ce fils que j'obtiens, en fatiguant le Ciel de vœux, est le chagrin et le supplice de cette vie même dont je croyais qu'il devait être la joie et la consolation. De quel œil, à votre avis, pensez-vous que je puisse voir cet amas d'actions indignes dont on a peine aux yeux du monde d'adoucir le mauvais visage[113], cette suite continuelle de méchantes affaires, qui nous réduisent à toutes heures à lasser les bontés du Souverain, et qui ont épuisé auprès de lui le mérite de mes services, et le crédit de mes amis? Ah, quelle bassesse est la vôtre! Ne rougissez-vous point de mériter si peu votre naissance? Êtes-vous en droit, dites-moi, d'en tirer quelque vanité? Et qu'avez-vous fait dans le monde pour être gentilhomme? Croyez-vous qu'il suffise d'en porter le nom et les armes, et que ce nous soit une gloire d'être sorti d'un sang noble, lorsque nous vivons en infâmes? Non, non, la naissance n'est rien où la vertu n'est pas. Aussi nous n'avons part à la gloire de nos ancêtres, qu'autant que nous nous efforçons de leur ressembler, et cet éclat de leurs actions qu'ils répandent sur nous, nous impose un engagement de leur faire le même honneur, de suivre les pas qu'ils nous tracent, et de ne point dégénérer de leurs vertus, si nous voulons être estimés leurs véritables descendants. Ainsi vous descendez en vain des aïeux dont vous êtes né, ils vous désavouent pour leur sang, et tout ce qu'ils ont fait d'illustre ne vous donne aucun avantage, au contraire, l'éclat n'en rejaillit sur vous qu'à votre déshonneur, et leur gloire est un flambeau qui éclaire aux yeux d'un chacun la honte de vos actions. Apprenez enfin qu'un gentilhomme qui vit mal, est un monstre dans la nature, que la vertu est le premier titre de

---

112 *Déportements*: conduite (en bonne et en mauvaise part).
113 *Le mauvais visage*: le mauvais aspect, la mauvaise apparence.

noblesse, que je regarde bien moins au nom qu'on signe, qu'aux actions qu'on fait, et que je ferais plus d'état du fils d'un crocheteur, qui serait honnête homme, que du fils d'un monarque qui vivrait comme vous.

DOM JUAN.— Monsieur, si vous étiez assis, vous en seriez mieux pour parler.

DOM LOUIS.— Non, insolent, je ne veux point m'asseoir, ni parler davantage, et je vois bien que toutes mes paroles ne font rien sur ton âme; mais sache, fils indigne, que la tendresse paternelle est poussée à bout par tes actions, que je saurai, plus tôt que tu ne penses, mettre une borne à tes dérèglements, prévenir sur toi le courroux du Ciel, et laver par ta punition la honte de t'avoir fait naître.

Il sort.

SCÈNE V

DOM JUAN, SGANARELLE.

DOM JUAN.— Eh, mourez le plus tôt que vous pourrez, c'est le mieux que vous puissiez faire. Il faut que chacun ait son tour, et j'enrage de voir des pères qui vivent autant que leurs fils.

Il se met dans son fauteuil.

SGANARELLE.— Ah, Monsieur, vous avez tort.

DOM JUAN.— J'ai tort?

SGANARELLE.— Monsieur.

DOM JUAN *se lève de son siège.*— J'ai tort?

SGANARELLE.— Oui, Monsieur, vous avez tort d'avoir souffert ce qu'il vous a dit, et vous le deviez mettre dehors par les épaules. A-t-on jamais rien vu de plus impertinent? Un père venir faire des remontrances à son fils, et lui dire de corriger ses actions, de se ressouvenir de sa naissance, de mener une vie d'honnête homme, et cent autres sottises de pareille nature. Cela se peut-il souffrir à un homme comme vous, qui savez comme il faut vivre? J'admire votre patience, et si j'avais été en votre place, je l'aurais envoyé promener. Ô complaisance maudite, à quoi me réduis-tu?

DOM JUAN.— Me fera-t-on souper bientôt?

SCÈNE VI

DOM JUAN, DONE ELVIRE, RAGOTIN, SGANARELLE.

RAGOTIN.— Monsieur, voici une dame voilée qui vient vous parler.

DOM JUAN.— Que pourrait-ce être?

SGANARELLE.— Il faut voir.

DONE ELVIRE.— Ne soyez point surpris, Dom Juan, de me voir à cette heure et dans cet équipage. C'est un motif pressant qui m'oblige à cette visite, et ce que j'ai à vous dire ne veut point du tout de retardement. Je ne viens point ici pleine de ce courroux que j'ai tantôt fait éclater, et vous me voyez bien changée de ce que j'étais ce matin. Ce n'est plus cette Done Elvire qui faisait des vœux contre vous, et dont l'âme irritée ne jetait que menaces, et ne respirait que vengeance. Le Ciel a banni de mon âme toutes ces indignes ardeurs que je sentais pour vous, tous ces transports tumultueux d'un attachement criminel, tous ces honteux emportements d'un amour terrestre et grossier, et il n'a laissé dans mon cœur pour vous qu'une flamme épurée de tout le commerce des sens, une tendresse toute sainte, un amour détaché de tout, qui n'agit point pour soi, et ne se met en peine que de votre intérêt.

DOM JUAN, à Sganarelle.— Tu pleures, je pense.

SGANARELLE.— Pardonnez-moi.

DONE ELVIRE.— C'est ce parfait et pur amour qui me conduit ici pour votre bien, pour vous faire part d'un avis du Ciel, et tâcher de vous retirer du précipice où vous courez. Oui, Dom Juan, je sais tous les dérèglements de votre vie, et ce même Ciel qui m'a touché le cœur, et fait jeter les yeux sur les égarements de ma conduite, m'a inspiré de vous venir trouver, et de vous dire de sa part que vos offenses ont épuisé sa miséricorde, que sa colère redoutable est prête de tomber sur vous, qu'il est en vous de l'éviter par un prompt repentir, et que peut-être vous n'avez pas encore un jour à vous pouvoir soustraire au plus grand de tous les malheurs[114]. Pour moi, je ne tiens plus à vous par aucun attachement du monde. Je suis revenue, grâces au Ciel, de toutes mes folles pensées, ma retraite est résolue, et je ne demande qu'assez de vie pour pouvoir expier la faute que j'ai faite, et mériter par une austère pénitence le pardon de l'aveuglement où m'ont plongée les transports d'une passion condamnable; mais, dans cette retraite, j'aurais une douleur extrême qu'une personne que j'ai chérie tendrement, devînt un exemple funeste de la justice du Ciel, et ce me sera une joie incroyable, si je puis vous porter à détourner de dessus votre tête, l'épouvantable coup qui vous menace. De grâce, Dom Juan, accordez-moi pour dernière faveur cette douce consolation, ne me refusez point votre salut, que je vous demande avec larmes, et si vous n'êtes point touché de votre intérêt; soyez-le au moins de mes prières, et m'épargnez le cruel déplaisir de vous voir condamner à des supplices éternels.

SGANARELLE.— Pauvre femme!

DONE ELVIRE.— Je vous ai aimé avec une tendresse extrême, rien au monde ne m'a été si cher que vous, j'ai oublié mon devoir pour vous, j'ai fait toutes choses pour vous, et toute la récompense que je vous en demande, c'est de corriger votre vie, et de prévenir votre perte. Sauvez-vous, je vous prie, ou pour l'amour de vous, ou pour l'amour de moi. Encore une fois, Dom Juan, je vous le demande avec larmes, et si ce n'est assez des larmes d'une personne que vous avez aimée, je vous en conjure par tout ce qui est le plus capable de vous toucher.

SGANARELLE.— Cœur de tigre!

DONE ELVIRE.— Je m'en vais après ce discours, et voilà tout ce que j'avais à vous dire.

DOM JUAN.— Madame, il est tard, demeurez ici, on vous y logera le mieux qu'on pourra.

DONE ELVIRE.— Non, Dom Juan, ne me retenez pas davantage.

---

114   VAR. Et que peut-être vous n'avez pas encore un jour à vous pour vous pouvoir soustraire au plus grand de tous les malheurs. (1683).

DOM JUAN.— Madame, vous me ferez plaisir de demeurer, je vous assure.

DONE ELVIRE.— Non, vous dis-je, ne perdons point de temps en discours superflus, laissez-moi vite aller, ne faites aucune instance pour me conduire, et songez seulement à profiter de mon avis.

SCÈNE VII

DOM JUAN, SGANARELLE, *Suite.*

DOM JUAN.— Sais-tu bien que j'ai encore senti quelque peu d'émotion pour elle, que j'ai trouvé de l'agrément dans cette nouveauté bizarre, et que son habit négligé, son air languissant et ses larmes ont réveillé en moi quelques petits restes d'un feu éteint?

SGANARELLE.— C'est-à-dire que ses paroles n'ont fait aucun effet sur vous.

DOM JUAN.— Vite à souper.

SGANARELLE.— Fort bien.

DOM JUAN, *se mettant à table.*— Sganarelle, il faut songer à s'amender pourtant.

SGANARELLE.— Oui-da.

DOM JUAN.— Oui, ma foi, il faut s'amender, encore vingt ou trente ans de cette vie-ci, et puis nous songerons à nous.

SGANARELLE.— Oh.

DOM JUAN.— Qu'en dis-tu?

SGANARELLE.— Rien. Voilà le soupé.
> *Il prend un morceau d'un des plats qu'on apporte,*
> *et le met dans sa bouche.*

DOM JUAN.— Il me semble que tu as la joue enflée, qu'est-ce que c'est? Parle donc, qu'as-tu là?

SGANARELLE.— Rien.

DOM JUAN.— Montre un peu, parbleu c'est une fluxion qui lui est tombée sur la joue, vite une lancette pour percer cela. Le pauvre garçon n'en peut plus, et cet abcès le pourrait étouffer, attends, voyez comme il était mûr. Ah, coquin que vous êtes!

SGANARELLE.— Ma foi, Monsieur, je voulais voir si votre cuisinier n'avait point mis trop de sel ou trop de poivre.

DOM JUAN.— Allons, mets-toi là, et mange. J'ai affaire de toi quand j'aurai soupé, tu as faim, à ce que je vois.

SGANARELLE se met à table.— Je le crois bien, Monsieur, je n'ai point mangé depuis ce matin. Tâtez de cela, voilà qui est le meilleur du monde. *(Un laquais ôte les assiettes de Sganarelle d'abord qu'il y a dessus à manger*[115]*.)* Mon assiette, mon assiette. Tout doux, s'il vous plaît. Vertubleu, petit compère, que vous êtes habile à donner des assiettes nettes, et vous, petit la Violette, que vous savez présenter à boire à propos.

Pendant qu'un laquais donne à boire à Sganarelle,
l'autre laquais ôte encore son assiette.

DOM JUAN.— Qui peut frapper de cette sorte?

SGANARELLE.— Qui diable nous vient troubler dans notre repas?

DOM JUAN.— Je veux souper en repos au moins, et qu'on ne laisse entrer personne.

SGANARELLE.— Laissez-moi faire, je m'y en vais moi-même.

---

115   *d'abord qu'il y a dessus à manger*: avant qu'il n'y ait à manger dessus quelque chose à manger.

DOM JUAN.— Qu'est-ce donc? Qu'y a-t-il?

SGANARELLE, *baissant la tête comme a fait la statue.*— Le... qui est là!

DOM JUAN.— Allons voir, et montrons que rien ne me saurait ébranler.

SGANARELLE.— Ah, pauvre Sganarelle, où te cacheras-tu?

SCÈNE VIII

DOM JUAN, LA STATUE DU COMMANDEUR, *qui vient se mettre à table*, SGANARELLE, *Suite.*

DOM JUAN.— Une chaise et un couvert, vite donc. *(À Sganarelle.)* Allons, mets-toi à table.

SGANARELLE.— Monsieur, je n'ai plus de faim.

DOM JUAN.— Mets-toi là, te dis-je. À boire. À la santé du Commandeur, je te la porte[116], Sganarelle. Qu'on lui donne du vin.

SGANARELLE.— Monsieur, je n'ai pas soif.

DOM JUAN.— Bois et chante ta chanson pour régaler le Commandeur.

SGANARELLE.— Je suis enrhumé, Monsieur.

DOM JUAN.— Il n'importe, allons. Vous autres venez, accompagnez sa voix.

LA STATUE.— Dom Juan, c'est assez, je vous invite à venir demain souper avec moi, en aurez-vous le courage?

DOM JUAN.— Oui, j'irai, accompagné du seul Sganarelle.

---

116   *Je te la porte*: je bois à la santé du Commandeur et je t'invite à en faire autant.

SGANARELLE.— Je vous rends grâce, il est demain jeûne pour moi.

DOM JUAN, *à Sganarelle*.— Prends ce flambeau.

LA STATUE.— On n'a pas besoin de lumière, quand on est conduit par le Ciel.

ACTE V[117], SCÈNE PREMIERE

DOM LOUIS, DOM JUAN, SGANARELLE.

DOM LOUIS.— Quoi, mon fils, serait-il possible que la bonté du Ciel eût exaucé mes vœux? Ce que vous me dites est-il bien vrai? Ne m'abusez-vous point d'un faux espoir, et puis-je prendre quelque assurance sur la nouveauté surprenante d'une telle conversion?

DOM JUAN, *faisant l'hypocrite*.— Oui, vous me voyez revenu de toutes mes erreurs, je ne suis plus le même d'hier au soir, et le Ciel tout d'un coup a fait en moi un changement qui va surprendre tout le monde. Il a touché mon âme, et dessillé mes yeux, et je regarde avec horreur le long aveuglement[118] où j'ai été, et les désordres criminels de la vie que j'ai menée. J'en repasse dans mon esprit toutes les abominations, et m'étonne comme le Ciel les a pu souffrir si longtemps, et n'a pas vingt fois sur ma tête laissé tomber les coups de sa justice redoutable. Je vois les grâces que sa bonté m'a faites en ne me punissant point de mes crimes, et je prétends en profiter comme je dois, faire éclater aux yeux du monde un soudain changement de vie, réparer par là le scandale de mes actions passées, et m'efforcer d'en obtenir du Ciel une pleine rémission. C'est à quoi je vais travailler, et je vous prie, Monsieur, de vouloir bien contribuer à ce dessein, et de m'aider vous-même à faire choix d'une personne qui me serve de guide, et sous la conduite de qui je puisse marcher sûrement dans le chemin où je m'en vais entrer.

DOM LOUIS.— Ah, mon fils, que la tendresse d'un père est aisément rappelée, et que les offenses d'un fils s'évanouissent vite au moindre mot de repentir! Je ne me souviens plus déjà

---

117   D'après le marché du 3 décembre 1664, l'acte V a pour décor l'extérieur d'une ville, proche de la forêt où se trouve le mausolée du Commandeur.
118   VAR. Le long dérèglement. (1683).

de tous les déplaisirs que vous m'avez donnés, et tout est effacé par les paroles que vous venez de me faire entendre. Je ne me sens pas[119], je l'avoue; je jette des larmes de joie, tous mes vœux sont satisfaits, et je n'ai plus rien désormais à demander au Ciel. Embrassez-moi, mon fils, et persistez, je vous conjure, dans cette louable pensée. Pour moi, j'en vais tout de ce pas porter l'heureuse nouvelle à votre mère, partager avec elle les doux transports du ravissement où je suis, et rendre grâce au Ciel des saintes résolutions qu'il a daigné vous inspirer.

SCÈNE II

DOM JUAN, SGANARELLE.

SGANARELLE.— Ah, Monsieur, que j'ai de joie de vous voir converti! Il y a longtemps que j'attendais cela, et voilà, grâce au Ciel, tous mes souhaits accomplis.

DOM JUAN.— La peste, le benêt.

SGANARELLE.— Comment, le benêt?

DOM JUAN.— Quoi? tu prends pour de bon argent ce que je viens de dire, et tu crois que ma bouche était d'accord avec mon cœur?

SGANARELLE.— Quoi, ce n'est pas... vous ne... votre... Oh quel homme! quel homme! quel homme!

DOM JUAN.— Non, non, je ne suis point changé, et mes sentiments sont toujours les mêmes.

SGANARELLE.— Vous ne vous rendez pas à la surprenante merveille de cette statue mouvante et parlante?

DOM JUAN.— Il y a bien quelque chose là-dedans que je ne comprends pas, mais quoi que ce puisse être, cela n'est pas capable, ni de convaincre mon esprit, ni d'ébranler mon âme, et si j'ai dit que je voulais corriger ma conduite, et me jeter dans un train de vie exemplaire, c'est un

---

119   *Je ne me sens pas:* je ne me sens pas de joie.

dessein que j'ai formé par pure politique, un stratagème utile, une grimace nécessaire, où je veux me contraindre pour ménager un père dont j'ai besoin, et me mettre à couvert du côté des hommes de cent fâcheuses aventures qui pourraient m'arriver. Je veux bien, Sganarelle, t'en faire confidence, et je suis bien aise d'avoir un témoin du fond de mon âme et des véritables motifs[120] qui m'obligent à faire les choses.

SGANARELLE.— Quoi? vous ne croyez rien du tout, et vous voulez cependant vous ériger en homme de bien[121]?

DOM JUAN.— Et pourquoi non? Il y en a tant d'autres comme moi qui se mêlent de ce métier, et qui se servent du même masque pour abuser le monde.

SGANARELLE.— Ah! quel homme! quel homme!

DOM JUAN.— Il n'y a plus de honte maintenant à cela, l'hypocrisie est un vice à la mode, et tous les vices à la mode passent pour vertus. Le personnage d'homme de bien est le meilleur de tous les personnages qu'on puisse jouer aujourd'hui, et[122] la profession d'hypocrite a de merveilleux avantages. C'est un art de qui l'imposture est toujours respectée, et quoiqu'on la découvre, on n'ose rien dire contre elle. Tous les autres vices des hommes sont exposés à la censure, et chacun a la liberté de les attaquer hautement, mais l'hypocrisie est un vice privilégié, qui de sa main ferme la bouche à tout le monde, et jouit en repos d'une impunité souveraine. On lie à force de grimaces une société étroite avec tous les gens du parti; qui en choque un, se les jette tous[123] sur les bras, et ceux que l'on sait même agir de bonne foi là-dessus, et que chacun connaît pour être véritablement touchés: ceux-là, dis-je, sont toujours les dupes des autres, ils donnent hautement[124] dans le panneau des grimaciers, et appuient aveuglément les singes de leurs actions. Combien crois-tu que j'en connaisse, qui par ce stratagème ont rhabillé adroitement les désordres de leur jeunesse, qui se sont fait un bouclier du manteau de la

---

120   VAR. Et je suis bien aise d'avoir un témoin des véritables motifs... (1682 cartonnée).

121   VAR. Quoi? toujours libertin et débauché, vous voulez cependant vous ériger en homme de bien? (1682 cartonnée).

122   VAR. Le membre de phrase: «Le personnage d'homme de bien est le meilleur de tous les personnages qu'on puisse jouer aujourd'hui, et» manque dans 1682 cartonnée.

123   VAR. Qui en choque un, se les attire tous... (1682 cartonnée).

124   VAR. Ceux-là, dis-je, sont le plus souvent les dupes des autres... ils donnent bonnement... (1682 cartonnée); il s'agit évidemment des vrais dévots.

religion, et, sous cet habit respecté[125], ont la permission d'être les plus méchants hommes du monde? On a beau savoir leurs intrigues, et les connaître pour ce qu'ils sont, ils ne laissent pas pour cela d'être en crédit parmi les gens, et quelque baissement de tête, un soupir mortifié, et deux roulements d'yeux rajustent dans le monde tout ce qu'ils peuvent faire. C'est sous cet abri favorable que je veux me sauver, et mettre en sûreté mes affaires[126]. Je ne quitterai point mes douces habitudes, mais j'aurai soin de me cacher, et me divertirai à petit bruit. Que si je viens à être découvert, je verrai sans me remuer prendre mes intérêts à toute la cabale[127], et je serai défendu par elle envers, et contre tous. Enfin, c'est là le vrai moyen de faire impunément tout ce que je voudrai. Je m'érigerai en censeur des actions d'autrui, jugerai mal de tout le monde, et n'aurai bonne opinion que de moi. Dès qu'une fois on m'aura choqué tant soit peu, je ne pardonnerai jamais, et garderai tout doucement une haine irréconciliable. Je ferai le vengeur des intérêts du Ciel[128], et sous ce prétexte commode, je pousserai[129] mes ennemis, je les accuserai d'impiété, et saurai déchaîner contre eux des zélés indiscrets, qui sans connaissance de cause crieront en public contre eux[130], qui les accableront d'injures, et les damneront hautement de leur autorité privée. C'est ainsi qu'il faut profiter des faiblesses des hommes, et qu'un sage esprit s'accommode aux vices de son siècle.

SGANARELLE.— O Ciel! qu'entends-je ici? Il ne vous manquait plus que d'être hypocrite pour vous achever de tout point, et voilà le comble des abominations. Monsieur, cette dernière-ci m'emporte, et je ne puis m'empêcher de parler. Faites-moi tout ce qu'il vous plaira, battez-moi, assommez-moi de coups, tuez-moi, si vous voulez, il faut que je décharge mon cœur, et qu'en valet fidèle je vous dise ce que je dois. Sachez, Monsieur, que tant va la cruche à l'eau, qu'enfin elle se brise; et comme dit fort bien cet auteur que je ne connais pas, l'homme est en ce monde ainsi que l'oiseau sur la branche, la branche est attachée à l'arbre, qui s'attache à l'arbre suit de bons préceptes, les bons préceptes valent mieux que les belles paroles, les belles paroles se trouvent à la cour. À la cour sont les courtisans, les courtisans suivent la mode, la mode vient de

---

125   VAR. Qui, par ce stratagème, ont rhabillé adroitement les désordres de leur jeunesse, et, sous un dehors respecté. (1682 cartonnée).

126   C'est sous cet abri favorable que je veux mettre en sûreté mes affaires. (1682 cartonnée).

127   VAR. À toute ma cabale. (1682 cartonnée).

128   VAR. Je ferai le vengeur de la vertu opprimée, et, sous ce prétexte commode. (1682 cartonnée).

129   *Je pousserai*: je repousserai.

130   VAR. crieront contre eux (1682 cartonnée).

la fantaisie, la fantaisie est une faculté de l'âme, l'âme est ce qui nous donne la vie, la vie finit par la mort[131], la mort nous fait penser au Ciel, le ciel est au-dessus de la terre, la terre n'est point la mer, la mer est sujette aux orages, les orages tourmentent les vaisseaux, les vaisseaux ont besoin d'un bon pilote, un bon pilote a de la prudence, la prudence n'est point dans les jeunes gens, les jeunes gens doivent obéissance aux vieux, les vieux aiment les richesses, les richesses font les riches, les riches ne sont pas pauvres, les pauvres ont de la nécessité, nécessité n'a point de loi, qui n'a point de loi vit en bête brute, et par conséquent vous serez damné à tous les diables.

DOM JUAN.— Ô beau raisonnement[132]!

SGANARELLE.— Après cela, si vous ne vous rendez, tant pis pour vous.

SCÈNE III

DOM CARLOS, DOM JUAN, SGANARELLE.

DOM CARLOS.— Dom Juan, je vous trouve à propos, et suis bien aise de vous parler ici plutôt que chez vous, pour vous demander vos résolutions. Vous savez que ce soin me regarde, et que je me suis en votre présence chargé de cette affaire. Pour moi, je ne le cèle point, je souhaite fort que les choses aillent dans la douceur, et il n'y a rien que je ne fasse pour porter votre esprit à vouloir prendre cette voie, et pour vous voir publiquement confirmer à ma sœur le nom de votre femme.

DOM JUAN, *d'un ton hypocrite*.— Hélas! je voudrais bien de tout mon cœur vous donner la satisfaction que vous souhaitez, mais le Ciel s'y oppose directement, il a inspiré à mon âme le dessein de changer de vie, et je n'ai point d'autres pensées maintenant que de quitter entièrement tous les attachements du monde, de me dépouiller au plus tôt de toutes sortes de vanités, et de corriger désormais par une austère conduite tous les déréglements criminels où m'a porté le feu d'une aveugle jeunesse.

---

131   Dans 1682 cartonnée, cette tirade de Sganarelle est fortement abrégée, et se termine brusquement par les quelques mots suivants: *la vie finit par la mort... et songez à ce que vous deviendrez.*

132   VAR. Ô le beau raisonnement. (1682 cartonnée)

DOM CARLOS.— Ce dessein, Dom Juan, ne choque point ce que je dis, et la compagnie d'une femme légitime peut bien s'accommoder avec les louables pensées que le Ciel vous inspire.

DOM JUAN.— Hélas point du tout, c'est un dessein que votre sœur elle-même a pris, elle a résolu sa retraite, et nous avons été touchés tous deux en même temps.

DOM CARLOS.— Sa retraite ne peut nous satisfaire, pouvant être imputée au mépris que vous feriez d'elle et de notre famille, et notre honneur demande qu'elle vive avec vous.

DOM JUAN.— Je vous assure que cela ne se peut, j'en avais pour moi toutes les envies du monde, et je me suis même encore aujourd'hui conseillé au Ciel pour cela[133]; mais lorsque je l'ai consulté, j'ai entendu une voix qui m'a dit que je ne devais point songer à votre sœur, et qu'avec elle assurément je ne ferais point mon salut.

DOM CARLOS.— Croyez-vous, Dom Juan, nous éblouir par ces belles excuses?

DOM JUAN.— J'obéis à la voix du Ciel.

DOM CARLOS.— Quoi vous voulez que je me paye d'un semblable discours?

DOM JUAN.— C'est le Ciel qui le veut ainsi.

DOM CARLOS.— Vous aurez fait sortir ma sœur d'un couvent, pour la laisser ensuite?

DOM JUAN.— Le Ciel l'ordonne de la sorte.

DOM CARLOS.— Nous souffrirons cette tache en notre famille?

DOM JUAN.— Prenez-vous-en au Ciel.

DOM CARLOS.— Eh quoi toujours le Ciel?

---

133   *Je me suis conseillé*: j'ai demandé conseil.

DOM JUAN.— Le Ciel le souhaite comme cela.

DOM CARLOS.— Il suffit, Dom Juan, je vous entends, ce n'est pas ici que je veux vous prendre[134], et le lieu ne le souffre pas; mais avant qu'il soit peu, je saurai vous trouver.

DOM JUAN.— Vous ferez ce que vous voudrez, vous savez que je ne manque point de cœur, et que je sais me servir de mon épée quand il le faut, je m'en vais passer tout à l'heure dans cette petite rue écartée qui mène au grand couvent, mais je vous déclare pour moi, que ce n'est point moi qui me veux battre, le Ciel m'en défend la pensée, et si vous m'attaquez, nous verrons ce qui en arrivera[135].

DOM CARLOS.— Nous verrons, de vrai, nous verrons.

SCÈNE IV

DOM JUAN, SGANARELLE.

SGANARELLE.— Monsieur, quel diable de style prenez-vous là? Ceci est bien pis que le reste, et je vous aimerais bien mieux encore comme vous étiez auparavant, j'espérais toujours de votre salut, mais c'est maintenant que j'en désespère, et je crois que le Ciel qui vous a souffert jusques ici, ne pourra souffrir du tout cette dernière horreur.

DOM JUAN.— Va, va, le Ciel n'est pas si exact que tu penses; et si toutes les fois que les hommes...

SGANARELLE.— Ah, Monsieur, c'est le Ciel qui vous parle, et c'est un avis qu'il vous donne.

DOM JUAN.— Si le Ciel me donne un avis, il faut qu'il parle un peu plus clairement, s'il veut que

---

134   *Vous prendre*: vous appeler au combat.

135   Cf. la VIIe *Provinciale*, où Pascal fait dire au père jésuire chargé d'exposer la casuistique trop commode de la Compagnie: «Si un gentilhomme [...] est appelé en duel, [...] il peut, pour conserver son honneur, se trouver au lieu assigné, non pas véritablement avec l'intention expresse de se battre en duel, mais seulement avec celle de se défendre, si celui qui l'a appelé l'y vient attaquer injustement Et son action sera toute indifférente d'elle-même.»

je l'entende.

SCÈNE V

DOM JUAN, UN SPECTRE *en femme voilée*, SGANARELLE.

LE SPECTRE, *en femme voilée*.— Dom Juan n'a plus qu'un moment à pouvoir profiter de la miséricorde du Ciel, et s'il ne se repent ici, sa perte est résolue.

SGANARELLE.— Entendez-vous, Monsieur?

DOM JUAN.— Qui ose tenir ces paroles? Je crois connaître cette voix.

SGANARELLE.— Ah, Monsieur, c'est un spectre, je le reconnais au marcher.

DOM JUAN.— Spectre, fantôme, ou diable, je veux voir ce que c'est.
Le Spectre change de figure, et représente
le temps avec sa faux à la main.

SGANARELLE.— Ô Ciel! voyez-vous, Monsieur, ce changement de figure?

DOM JUAN.— Non, non, rien n'est capable de m'imprimer de la terreur, et je veux éprouver avec mon épée si c'est un corps ou un esprit.
Le Spectre s'envole dans le temps que
Dom Juan le veut frapper.

SGANARELLE.— Ah, Monsieur, rendez-vous à tant de preuves, et jetez-vous vite dans le repentir.

DOM JUAN.— Non, non, il ne sera pas dit, quoi qu'il arrive, que je sois capable de me repentir, allons, suis-moi.

SCÈNE VI

LA STATUE, DOM JUAN, SGANARELLE.

LA STATUE.— Arrêtez, Dom Juan, vous m'avez hier donné parole de venir manger avec moi.

DOM JUAN.— Oui, où faut-il aller?

LA STATUE.— Donnez-moi la main.

DOM JUAN.— La voilà.

LA STATUE.— Dom Juan, l'endurcissement au péché traîne[136] une mort funeste, et les grâces du Ciel que l'on renvoie, ouvrent un chemin à sa foudre.

DOM JUAN.— Ô Ciel, que sens-je? Un feu invisible me brûle, je n'en puis plus, et tout mon corps devient un brasier ardent, ah!

Le tonnerre tombe avec un grand bruit et de grands éclairs
sur Dom Juan, la terre s'ouvre et l'abîme, et il sort
de grands feux de l'endroit où il est tombé.

SGANARELLE.— Voilà par sa mort un chacun satisfait, Ciel offensé, lois violées, filles séduites, familles déshonorées, parents outragés, femmes mises à mal, maris poussés à bout, tout le monde est content; il n'y a que moi seul de malheureux, qui après tant d'années de service, n'ai point d'autre récompense que de voir à mes yeux l'impiété de mon maître, punie par le plus épouvantable châtiment du monde[137].

---

136   *Traîne*: entraîne.
137   VAR. Ah! mes gages! mes gages! Voilà par sa mort un chacun satisfait: Ciel offensé, lois violées, filles séduites, familles déshonorées, parents outragés, femmes mises à mal, maris poussés à bout; tout le monde est content: il n'y a que moi seul de malheureux! Mes gages! mes gages! mes gages! (1683).

Biographie de l'auteur

Né à Paris, **Jean-Baptiste Poquelin**, qui prendra plus tard le nom de Molière, est le fils d'un riche tapissier du roi. Il perd sa mère à l'âge de dix ans. Après avoir suivi un enseignement au collège de Clermont (futur lycée Louis-le-Grand), il fait des études de droit à Orléans, qu'il abandonne en 1642 pour prendre la succession de son père dont il se sépare l'année suivante pour devenir comédien.

Avec sa maîtresse **Madeleine Béjart**, il crée la compagnie L'"**Illustre-Théâtre**" dont il est le directeur et prend le nom de Molière. Mais la troupe fait faillite, ce qui vaut à Molière d'être emprisonné en 1645 pendant quelques jours avant d'être libéré grâce à son père qui paie ses dettes. Avec la troupe de Charles Dufresne et quelques comédiens de L'Illustre-Théâtre, il part alors en Province où il reste jusqu'en 1658. A partir de 1655, il devient aussi auteur dramatique.

De retour à Paris en 1658, Molière remporte l'année suivante un brillant succès avec Les Précieuses ridicules. En 1661, il installe sa troupe au Palais royal. En 1662 il épouse l'actrice **Armande Béjart**, jeune soeur de Madeleine Béjart. Malgré son succès, L'École des femmes est accusée d'être une pièce irréligieuse et sera l'objet d'une longue polémique. La comédie Tartuffe, qui choque les catholiques, est interdite pendant plusieurs années à la demande de l'archevêque de Paris. En 1665, Molière, dont la troupe est soutenue financièrement par le roi Louis XIV, est nommé responsable des divertissements de la cour.

Molière se sépare d'Armande en 1666 et se réconcilie avec elle en 1672. Il écrit de nombreuses pièces dont des comédies-ballets avec le musicien et compositeur **Jean-Baptiste Lully** (1632-1687) comme Le Bourgeois gentilhomme et remporte de nombreux succès.

Molière meurt d'une hémorragie pulmonaire en février 1673 juste après la quatrième représentation du **Malade imaginaire** durant laquelle il ressent des douleurs en interprétant d'Argan, le rôle principal. Il est enterré au Père Lachaise, à Paris, à côté de Jean de la Fontaine.

Fin observateur de la société, Molière dépeint dans ses pièces les moeurs de son temps et plus particulièrement celles de la bourgeoisie dont il critique la prétention à devenir noble, la place des femmes et les mariages par intérêt. Il a créé toute une série de personnages emblématiques, passés à la postérité : Monsieur Jourdain, Harpagon, Alceste et Célimène, Tartuffe et Orgon, Dom Juan, Sganarelle, Argan le malade imaginaire.

Molière occupe une place très importante dans la littérature française dont il est l'un des piliers avec des oeuvres d'une grande variété qui ont fait sortir la comédie du genre mineur où elle se trouvait.

Made in the USA
Middletown, DE
27 March 2022